CB053272

ME ARREBATA

EPOPEIAS RUBRO-NEGRAS - Volume 1

1895 - 1950

MAURICIO NEVES DE JESUS - RENATO DALMASO

onze
CULTURAL

AS MELHORES HISTÓRIAS DA MINHA INFÂNCIA FORAM RUBRO-NEGRAS. E, em vez de com “Era uma vez”, começavam assim: “Rolou a bola no Maracanã!” Vinham pela tela metálica do velho rádio Philco Transglobe, acima da qual se lia *Solid State*, que até hoje não sei o que significa, mas me parecia solene: *Solid State*.

Essas histórias se renovavam a cada semana. Saíam do Maracanã ou de outras canchas e se transformavam em espectros em vermelho e preto que passeavam pela sala de casa chutando, cabeceando, comemorando. Um deles, o meu preferido, crescia de tamanho acompanhando a voz de Jorge Curi: Zico, ZICÃO, ZICAÇO!

A história seguia até a espera pelos *Gols do Fantástico*, quando eu confrontava o imaginado com o real. Será que o gol do Zico tinha mesmo sido tão bonito? Era mais bonito ainda. O futebol dele colocava a imaginação no chinelo.

Vem daquela época a vontade de mergulhar na história do Flamengo mais profundamente. Para entender de onde viemos, quem somos e por que vivemos assim, alucinados, como se cada jogo fosse o primeiro. Ou o último.

Me Arrebata, a HQ, é o resultado desse mergulho. São vinte anos de pesquisa, muito antes da bênção dos acervos *on-line* dos periódicos. Um olho no passado e outro no presente, porque o Flamengo não para desde 17 de novembro de 1895.

Durante a pandemia de COVID-19, iniciei o trabalho de reduzir centenas de páginas de anotações a um roteiro, que foi ganhando forma no lápis do Renato Dalmaso. Ajustes feitos, tudo virava aquarela. E quando vi o primeiro quadrinho pintado, aquele vermelho e preto pungentes, não tive dúvida sobre o nome definitivo. Eu estava arrebatado.

Somos quarenta milhões amando o mesmo Flamengo. E cada um de nós tem o seu próprio Flamengo, tão particular quanto uma impressão digital, mas que dividimos sem ciúme com amigos de uma vida inteira ou com quem acabamos de conhecer na arquibancada.

Este que vai aqui é o meu Flamengo, que divido com vocês. Filho da tempestade. Arrebatado. E sólido como aquele Flamengo que amei desde o rádio. *Solid State*.

E assim será, para sempre.

Mauricio Neves de Jesus

COMEÇO DA TARDE DE DOMINGO, 6 DE OUTUBRO DE 1895. SETE AMIGOS A BORDO DE UMA BALEEIRA DE SEGUNDA MÃO ENFRENTAM O MAR EM FÚRIA. ELES HAVIAM SAÍDO DA PRAIA DO RETIRO SAUDOSO, NO CAJU, E PRETENDIAM CHEGAR À PRAIA DO FLAMENGO, ONDE MORAVAM. O CÉU JÁ ESTAVA FECHADO QUANDO PARTIRAM, MAS PARECIA SER POSSÍVEL CONCLUIR A TRAVESSIA ANTES QUE O TEMPO VIRASSE DE VEZ.

PARECIA. JÁ ESTAVA CLARO QUE NÃO HAVIA SIDO BOA IDEIA. FOI TUDO MUITO RÁPIDO. A TEMPESTADE. O MAR REVOLTO. O SOM AMEAÇADOR DOS TROVÕES. A VENTANIA QUE QUEBROU O MASTRO. ***"VAMOS LÁ, REMADORES, É PRECISO SOLTAR OS CABOS DA VELA!"***

CÉUS!

CREC!

SOLTA!

AÍ ESTÃO JOSÉ AGOSTINHO PEREIRA DA CUNHA, O ZEZÉ; E MAIS FELISBERTO LAPORT, MÁRIO SPÍNOLA, JOSÉ FÉLIX DA CUNHA MENEZES, MAURÍCIO RODRIGUES PEREIRA, NESTOR DE BARROS E JOAQUIM LEOVIGILDO DOS SANTOS BAHIA, O BAIANO.

CABRUUUM!

FEITAS AS APRESENTAÇÕES, É HORA DE LUTAR PELA VIDA. ELES NÃO TINHAM COMO SABER QUE TUDO ACABARIA BEM E QUE ESSA HISTÓRIA SERIA CONTADA POR MUITO, MUITO TEMPO. HOMENS AO MAR!

AGARRADOS AO CASCO DO BARCO NAUFRAGADO, ELES SABIAM QUE ERA POUCO PROVÁVEL QUE SURGISSE ALGUMA EMBARCAÇÃO PARA AJUDÁ-LOS. BAIANO, MILITAR DA MARINHA DO BRASIL E O MELHOR NADADOR DO GRUPO, SAIU ÀS BRAÇADAS NA TENTATIVA DESESPERADA DE CHEGAR À PRAIA.
HORAS SE PASSARAM E NENHUM SOCORRO APARECEU. OS SEIS JOVENS REMADORES CHEGARAM A TEMER PELO PIOR.
À DERIVA, EM NADA ELES LEMBRAVAM O GRUPO ELEGANTE QUE DISCUTIA À MESA DO CAFÉ LAMAS, CANSADOS DE APENAS ASSISTIR ÀS REGATAS ENTRE GRUPOS DE OUTRAS PRAIAS. POR ISSO, ELES HAVIAM COMPRADO, EM CONJUNTO, A PHERUSA – UMA BALEEIRA USADA QUE MANDARAM REFORMAR NA PONTA DO CAJU – PARA FUNDAR O GRUPO DE REGATAS DO FLAMENGO.
JÁ ERA NOITE QUANDO ELES FORAM RESGATADOS PELA LANCHA LEAL, QUE VOLTAVA DA FESTA DA PENHA, APÓS A TEMPESTADE. BAIANO, POR SUA VEZ, HAVIA CHEGADO À PRAIA DO RETIRO SAUDOSO DEPOIS DE NADAR DOIS MIL METROS. SÓ NO DIA SEGUINTE É QUE ELES SE REENCONTRARAM E SOUBERAM QUE TODOS ESTAVAM A SALVO.
LEAL
ELES CONTINUARAM A REUNIR INTERESSADOS EM FUNDAR O GRUPO DE REGATAS. REFORMARAM NOVAMENTE A PHERUSA. NÃO HÁ NOTÍCIA DE QUE ESTA POSE, REUNINDO OS SETE, TENHA SIDO REGISTRADA POR UM FOTÓGRAFO. POIS FAÇAMOS ISSO AGORA, O MOMENTO É VALIOSO. OBRIGADO, RAPAZES. A HISTÓRIA VAI COMEÇAR.

À EXCEÇÃO DE BAIANO, ÀS VOLTAS COM O SERVIÇO MILITAR NO CRUZADOR MISTO PARNAHYBA, OS DEMAIS SEGUIRAM EM FRENTE. JOSÉ AGOSTINHO, NESTOR DE BARROS E MÁRIO SPÍNOLA ERAM OS MAIS ENTUSIASMADOS COM OS CONVITES A POSSÍVEIS NOVOS MEMBROS NO LARGO DO MACHADO.

A PHERUSA FOI REFORMADA E FICOU AMARRADA NA FAIXA DE AREIA EM FRENTE AO CASARÃO DE CÔMODOS, N. 22, NA PRAIA DO FLAMENGO, ONDE NESTOR ERA UM DOS INQUILINOS. MAS ANTES QUE SE PUDESSE ORGANIZAR A FUNDAÇÃO, A BALEEIRA FOI FURTADA EM UMA MADRUGADA.
Pherusa

E FOI NO ÚMIDO SOCAVÃO DO CASARÃO DE CÔMODOS, QUE JÁ HAVIA SIDO CASA DE FAMÍLIA E DE BANHOS, NA TARDE DE 17 DE NOVEMBRO DE 1895, JÁ NA PRESENÇA DA NOVA BALEEIRA, A SCYRA, QUE NESTOR DE BARROS CONDUZIU A REUNIÃO DEFINITIVA. AO ANOITECER, O GUARDA-MARINHA DOMINGOS MARQUES DE AZEVEDO FOI ACLAMADO PRESIDENTE.

A AGREMIAÇÃO PRECISAVA DE UMA SEDE. NESTOR DE BARROS CONVERSOU COM SEU VIEIRA, PROPRIETÁRIO DO 22, E ACERTOU O ALUGUEL DO SOCAVÃO DO IMÓVEL. ALI PODERIAM SE REUNIR E GUARDAR UM OU DOIS BARCOS.

ALÉM DISSO, SEU VIEIRA, ALGUNS ASSOCIADOS DO GRUPO PODEM ALUGAR QUARTOS PARA MORAR AQUI NO 22...

SCYRA

AS CORES DO GRUPO SERIAM O AZUL DO CÉU E DO MAR, E O DOURADO DAS RIQUEZAS DO BRASIL. O ANIVERSÁRIO DO GRUPO SERIA CELEBRADO SIMBOLICAMENTE A CADA 15 DE NOVEMBRO, A FIM DE COINCIDIR COM OS FESTEJOS DA REPÚBLICA. "ESTÁ FUNDADO O GRUPO DE REGATAS DO FLAMENGO", DISSE NESTOR DE BARROS, SOB PALMAS.

SCYRA

PRAIA DO FLAMENGO, MANHÃ DE 18 DE NOVEMBRO DE 1895. É HORA DE CHAMAR O NOSSO FOTÓGRAFO FICTÍCIO E ATEMPORAL PARA OUTRA FOTO QUE NUNCA FOI REALIZADA. DA ESQUERDA PARA A DIREITA: CARLOS SARDINHA, EDUARDO SARDINHA, JOSÉ MARIA LEITÃO DA CUNHA, GEORGES LEUZINGER, FELISBERTO CARDOSO LAPORT, MÁRIO SPÍNOLA, FRANCISCO LUCCI COLÁS, DOMINGOS MARQUES DE AZEVEDO, NESTOR DE BARROS, JOSÉ AGOSTINHO PEREIRA DA CUNHA, JOSÉ FÉLIX DA CUNHA MENEZES, NAPOLEÃO COELHO DE OLIVEIRA, DESIDÉRIO GUIMARÃES, EMYGDIO JOSÉ BARBOSA, AUGUSTO LOPES DE SILVEIRA, JOSÉ AUGUSTO CHALRÉO, JOÃO DE ALMEIDA LUSTOSA E MAURÍCIO RODRIGUES PEREIRA – OS QUATRO ÚLTIMOS NÃO ESTAVAM NA REUNIÃO, MAS ASSINARAM A ATA, E OS CONVIDAMOS PARA O REGISTRO. A BÊNÇÃO, FUNDADORES.

SCYRA

UM MÊS DEPOIS DA FUNDAÇÃO, A SCYRA FOI PARA AS ÁGUAS DE NITERÓI PARA A PRIMEIRA REGATA DA HISTÓRIA DO GRUPO. A DISPUTA FOI PROMOVIDA PELO ANFITRIÃO GRAGOATÁ, E O FLAMENGO TOMOU PARTE DO TERCEIRO PÁREO, PARA BALEEIRAS A QUATRO REMOS. A GUARNIÇÃO, QUE TEVE COMO PATRÃO JOSÉ FÉLIX DA CUNHA MENEZES E NOS REMOS NESTOR DE BARROS, FELISBERTO LAPORT, MÁRIO SPÍNOLA E MAURÍCIO RODRIGUES PEREIRA, CHEGOU EM TERCEIRO – E ÚLTIMO – LUGAR. COMO O UNIFORME AZUL E OURO NÃO HAVIA FICADO PRONTO, O FLAMENGO COMPETIU COM VESTES IMPROVISADAS QUE NÃO VOLTARIA A USAR.

A PRIMEIRA MEDALHA VEIO UM ANO DEPOIS DA ESTREIA. NO DIA 15 DE NOVEMBRO DE 1896, NO PRIMEIRO DOS CINCO PÁREOS EM HOMENAGEM A SÃO ROQUE, EM PAQUETÁ. A CANOA CECY, PATROADA POR MAURÍCIO RODRIGUES PEREIRA E COM OS QUATRO REMOS CONFIADOS A MÁRIO SPÍNOLA, NESTOR DE BARROS, FELISBERTO LAPORT E JOSÉ AUGUSTO CHALRÉO, CONQUISTOU A MEDALHA DE HONRA DE BRONZE, DESTINADA AO SEGUNDO LUGAR.

FOI A ÚLTIMA COMPETIÇÃO VESTINDO AS CORES DA FUNDAÇÃO. NA ASSEMBLEIA DE 23 DE NOVEMBRO, O FLAMENGO TROCOU O AZUL E O OURO PELO VERMELHO E PRETO.

NO DIA 5 DE JUNHO DE 1898, NA ENSEADA DE BOTAFOGO, FOI REALIZADO O PRIMEIRO CONJUNTO DE REGATAS, DENOMINADO OFICIALMENTE DE CAMPEONATO PELA *UNIÃO DE REGATAS FLUMINENSE*. O FLAMENGO VENCEU O TERCEIRO PÁREO COM A BALEEIRA A DOIS REMOS: IRERÊ, COM O FUNDADOR JOSÉ AGOSTINHO PEREIRA DA CUNHA, O ZEZÉ, NA POSICÃO DE VOGA. PORÉM, O ICARAHY ENTROU COM UM PROTESTO NA UNIÃO FLUMINENSE, QUE REVERTEU O RESULTADO, TORNANDO O GRÊMIO DE NITERÓI VENCEDOR COM A BALEEIRA MIMOSA. ALGUNS DOS JULGADORES ERAM SÓCIOS DO ICARAHY, O QUE COLOCOU A DECISÃO SOB SUSPEITA, E O FLAMENGO SE RETIROU DAS REGATAS E DA UNIÃO POR QUATRO MESES.

O TROCO VEIO NO DIA 15 DE OUTUBRO DE 1899, NA GRANDE REGATA DO ICARAHY, EM NITERÓI. OS RUBRO-NEGROS VENCERAM DOIS PÁREOS, COM A CANOA A QUATRO REMOS TYMBIRA E COM A BALEEIRA A SEIS REMOS YPIRANGA, QUE DEPOIS DE SAIR ATRÁS DA MAFRAINA, DO ICARAHY, PASSOU OS DONOS DA CASA NA RETA FINAL. ***PELEJA DE TITÃS***, DISSE A REVISTA *SEMANA SPORTIVA*. NA TYMBIRA, A GUARNIÇÃO FOI FELISBERTO LAPORT, CARLOS DE SOUZA COSTA, ÁLVARO TOURINHO E NAPOLEÃO COELHO DE OLIVEIRA, PATROADOS POR LIMA JÚNIOR, QUE TAMBÉM FOI PATRÃO NA YPIRANGA, COM ZEZÉ, LAPORT, CARLOS, NAPOLEÃO, UBALDINO AMARAL E ALBERTO LOTH.

A FESTA DAS VITÓRIAS SE ESTENDEU DE NITERÓI ATÉ O 22 DA PRAIA DO FLAMENGO. A CALÇADA FOI TOMADA POR BARRIS DE CERVEJA, AO SOM DE VIOLÕES E RECO-RECOS. ÀQUELA ALTURA, NESTOR DE BARROS JÁ HAVIA VOLTADO PARA SUA TERRA NATAL, SÃO PAULO, MAS VÁRIOS OUTROS REMADORES E ASSOCIADOS MORAVAM NOS CÔMODOS DO SOBRADO. O 22 ERA FLAMENGO BEM ALÉM DO SOCAVÃO: UMA REPÚBLICA RUBRO-NEGRA.

NAQUELA MESMA SEMANA, OS HERÓIS DAS PRIMEIRAS VITÓRIAS FORAM AO ATELIÊ BEVILACQUA POSAR PARA A POSTERIDADE. COMEÇANDO NO ALTO, DA ESQUERDA PARA A DIREITA: ZEZÉ, NAPOLEÃO, CARLOS, LAPORT, UBALDINO, LIMA JÚNIOR, LOTH E TOURINHO. EIS OS OITO DE ICARAÍ, AQUELES QUE ENSINARAM AO FLAMENGO O CAMINHO DO PRIMEIRO LUGAR.

O GRUPO DE REGATAS DO FLAMENGO TOMOU GOSTO PELA VITÓRIA. NO DOMINGO, 6 DE MAIO DE 1900, UMA MULTIDÃO TOMOU A ENSEADA DA GLÓRIA PARA AS REGATAS DO IV CENTENÁRIO DO DESCOBRIMENTO DO BRASIL. NA PROVA DE HONRA, PARA CANOAS A QUATRO REMOS, A RUBRO-NEGRA TYMBIRA, PATROADA POR ÁLVARO ESPÍNOLA, DEIXOU JUPYRA, DO CLUB DE NATAÇÃO E REGATAS EM SEGUNDO E LEVOU O TROFÉU TROPON, O PRIMEIRO DA HISTÓRIA DO FLAMENGO.

EM 1901, PELA PRIMEIRA VEZ, OS REMADORES RUBRO-NEGROS COMPETIRAM COM UM UNIFORME COM AS INICIAIS BORDADAS NO PEITO EM FORMA DE EMBLEMA, COMO A GUARNIÇÃO DA VITORIOSA YPIRANGA. EM PÉ, CURVELLO JÚNIOR, ÁLVARO DA COSTA, RUBENS LEITÃO E FRANKLIN PACHECO; SENTADOS, ALFREDO CARDOSO, FRANCISCO ARAÚJO E JOSÉ MARINHO; E MARIZ PINTO, NO CHÃO.

EM 1902, O FLAMENGO DEIXARIA DE SER GRUPO E PASSARIA A SER CLUBE DE REGATAS. MAS OUTROS ESPORTES COMEÇARAM A SE ESPALHAR PELA CAPITAL DO PAÍS. NO DIA 21 DE JULHO, MANOEL RIOS, ASSOCIADO RUBRO-NEGRO, PRESIDIU UMA REUNIÃO EM UMA CASA NA RUA MARQUÊS DE ABRANTES, NO FLAMENGO, PARA A FUNDAÇÃO DE UM CLUBE DE *FOOTBALL*. TAMBÉM PARTICIPARAM OUTROS DOIS ASSOCIADOS DO FLAMENGO, ARTHUR GIBBONS E VIRGÍLIO LEITE – ESTE, INCLUSIVE, PRESIDENTE DO FLAMENGO À ÉPOCA, ASSIM COMO VIRIAM A SER FUTURAMENTE MANOEL E ARTHUR. COM TRÊS RUBRO-NEGROS LIDERANDO A FUNDAÇÃO, NASCIA O FLUMINENSE *FOOTBALL* CLUB.

EM 1905, COM A INAUGURAÇÃO DO PAVILHÃO DA ENSEADA DE BOTAFOGO, AS REGATAS PASSARAM A MOBILIZAR AINDA MAIS A SOCIEDADE CARIOCA. NESSE ANO, O FLAMENGO CONQUISTOU A TAÇA SUL-AMÉRICA, COM A YOLE A QUATRO REMOS ITABIRA. NA POSE DA VITÓRIA, OSWALDO GOMES, HERNANI MARTINS, ALBERTO BORGERTH (PATRÃO, COM APENAS 13 ANOS), GETÚLIO CALDAS E ARNALDO BORGERTH.

NAQUELE MESMO ANO DE 1905, O ADOLESCENTE ALBERTO BORGERTH, NASCIDO EM 3 DE DEZEMBRO DE 1892, ALÉM DE SE DESTACAR NO REMO RUBRO-NEGRO, INGRESSOU NOS QUADROS DO RIO FOOT-BALL CLUB, DEMONSTRANDO IGUAL APTIDÃO PARA OS ESPORTES DE MAR E TERRA. A AGREMIAÇÃO ERA FORMADA POR ALUNOS DO COLÉGIO ALFREDO GOMES, ONDE BORGERTH SE DESTACAVA EM LATIM, FRANCÊS, INGLÊS E PORTUGUÊS.

EM 1909, BORGERTH SAIU DO RIO *FOOTBALL CLUB* E FOI JOGAR FUTEBOL NO FLUMINENSE, COM OUTRO REMADOR RUBRO-NEGRO, OSWALDO GOMES. EM 1911, POR DESAVENÇAS SURGIDAS ENTRE BORGERTH E A DIRETORIA DO FLUMINENSE, ELE SAIU DO TIME TRICOLOR, NO QUE FOI SEGUIDO POR OITO COMPANHEIROS, ENTRE ELES PÍNDARO DE CARVALHO E EMMANUEL NERY, DESTACADA DUPLA DE DEFENSORES QUE, ASSIM COMO BORGERTH, CURSAVAM MEDICINA. UNIDOS, DECIDIRAM BUSCAR UM CLUBE ONDE PUDESSEM PRATICAR O FUTEBOL SEM INTERFERÊNCIA DE DIRETORES.

BORGERTH PROPÔS AO GRUPO O CAMINHO QUE LHE PARECIA MAIS NATURAL: CRIAR NO SEU FLAMENGO UM TIME DE FUTEBOL. E NA VÉSPERA DO NATAL DE 1911, EM ASSEMBLEIA EXTRAORDINÁRIA, CONDUZIDA PELO PRESIDENTE RECÉM-ELEITO, EDMUNDO DE AZURÉM FURTADO, O CLUBE DE REGATAS DO FLAMENGO CRIAVA O SEU DEPARTAMENTO DE ESPORTES TERRESTRES.

COMO NÃO POSSUÍA UM *GROUND*, O FLAMENGO TERRESTRE TREINAVA EM UM TERRENO PÚBLICO RECÉM-AJARDINADO, DENOMINADO DE CAMPO DO RUSSEL. OS JOGADORES SE REUNIAM NO CASARÃO E SEGUIAM PARA AS PRÁTICAS DE *FOOTBALL*, CERCADOS PELAS CRIANÇAS DA VIZINHANÇA. SE AS BOLAS REBATIDAS POR PÍNDARO SE PERDIAM POR ENTRE AS ÁRVORES, ERA A GAROTADA QUE CORRIA PARA BUSCÁ-LAS. LIVRE DE MUROS E CERCAS, O FUTEBOL DO FLAMENGO NASCIA NO MEIO DO POVO.

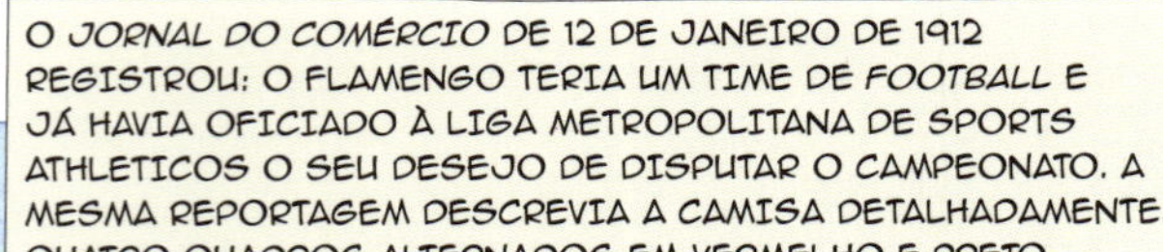
O *JORNAL DO COMÉRCIO* DE 12 DE JANEIRO DE 1912 REGISTROU: O FLAMENGO TERIA UM TIME DE *FOOTBALL* E JÁ HAVIA OFICIADO À LIGA METROPOLITANA DE SPORTS ATHLETICOS O SEU DESEJO DE DISPUTAR O CAMPEONATO. A MESMA REPORTAGEM DESCREVIA A CAMISA DETALHADAMENTE: QUATRO QUADROS ALTERNADOS EM VERMELHO E PRETO.

O UNIFORME, QUE ERA DIFERENTE DO USADO PELO REMO, POR EXIGÊNCIA DOS *CANOTIERS*, CHEGARIA DA INGLATERRA DE NAVIO DIAS DEPOIS. AS CAIXAS DESEMBARCADAS NO CAIS PHAROUX TAMBÉM GUARDAVAM AS REDES PARA AS BALIZAS E BOLAS NOVAS.
TO CR FLAMENGO
RIO DE JANEIRO

COM A INSCRIÇÃO NA LIGA, OS TREINOS NO CAMPO DO RUSSEL SE INTENSIFICARAM. AS REBATIDAS DE PÍNDARO E NERY, AS INVESTIDAS DE BAIANO, OS CHUTES DE CANHOTA DE GUSTAVINHO, AS DEFESAS DE BAENA, TUDO ERA APLAUDIDO POR UMA PLATEIA CADA VEZ MAIS NUMEROSA. O FLAMENGO MANDARIA SEUS JOGOS NO CAMPO DA GUANABARA, MAS A ESTREIA SERIA NO *GROUND* DO AMERICA, CONTRA O MANGUEIRA, TIME DA FÁBRICA DE CHAPÉUS HOMÔNIMA.

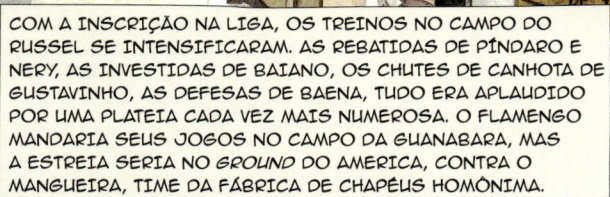

RUA CAMPOS SALES, 3 DE MAIO DE 1912. O CLUBE DE REGATAS DO FLAMENGO PISA OFICIALMENTE EM UM CAMPO DE FUTEBOL PELA PRIMEIRA VEZ.

EM PÉ, NERY, BAENA E PÍNDARO. COM UM JOELHO APOIADO NO CHÃO, CURIOL, GILBERTO E GALO. SENTADOS, BAIANO, ARNALDO, AMARANTE, GUSTAVO DE CARVALHO E ALBERTO BORGERTH. COM VOCÊS, O PRIMEIRO FLAMENGO TERRESTRE DE TODOS OS TEMPOS.

COMEÇA O JOGO INAUGURAL DO TIME PRINCIPAL DO FLAMENGO. AMARANTE TOCA NA PELOTA, MOVIMENTANDO-A NA DIREÇÃO DE ARNALDO.

GILBERTO RECEBE DE ARNALDO E LANÇA A GALO, NA MEIA-DIREITA.

GILBERTO, AQUI!

LOGO APÓS RECEBER DE GALO, DA PONTA-DIREITA BAIANO CRUZA PARA O MEIO.

ARNALDO SOBE E MATA NO PEITO...

... E DE VIRADA DEIXA GUSTAVO DE CARVALHO, O GUSTAVINHO, LIVRE NA MEIA-ESQUERDA.

É SUA, GUSTAVINHO!

DE SEM-PULO, GUSTAVINHO SOLTOU O PÉ ESQUERDO, INDEFENSÁVEL PARA O *GOALKEEPER* MOGRE. ANTES DE COMPLETAR O PRIMEIRO MINUTO DO PRIMEIRO JOGO, O FLAMENGO ESTAVA À FRENTE NO MARCADOR.

GOOOOOOOOOLLLL!!!

GUSTAVINHO VOLTOU A BALANÇAR A REDE NO ATAQUE SEGUINTE. LOGO DEPOIS, CAIU UM TEMPORAL. MESMO ASSIM, ELE MARCOU MAIS TRÊS VEZES NA GOLEADA POR 15 X 2.

O *CAPTAIN* BORGERTH TAMBÉM DEIXOU O SEU. ARNALDO E AMARANTE, QUATRO GOLS CADA, E GALO COMPLETARAM A CONTA NA ESTREIA ESPETACULAR.

OS RUBRO-NEGROS TAMBÉM GOLEARAM EM SEU SEGUNDO JOGO: 6 X 3 NO AMERICA, NO ESTÁDIO DA RUA GUANABARA, COM MAIS DOIS GOLS DE GUSTAVINHO. PORÉM, O ARTILHEIRO JOGARIA APENAS MAIS TRÊS PARTIDAS.

ANTES DO FINAL DO PRIMEIRO TURNO, GUSTAVINHO EMBARCOU NO NAVIO ALEMÃO *CAP FINISTERRE*, DEIXANDO O RIO PARA ESTUDAR – E JOGAR FUTEBOL – NO *ARMSTRONG COLLEGE*, NA INGLATERRA.

14

O FLAMENGO FICOU EM SEGUNDO LUGAR NO CAMPEONATO, FAZENDO ALGUNS JOGOS MEMORÁVEIS. NO DIA 27 DE OUTUBRO, NA RUA GUANABARA, GOLEOU O FLUMINENSE POR 4 X 0, COM TRÊS DE BAIANO.

NO CAMPEONATO DOS SEGUNDOS QUADROS, O FLAMENGO LEVANTOU A TAÇA COM A VITÓRIA POR 4 X 2 CONTRA O AMERICA NO DIA 15 DE NOVEMBRO DE 1912. A FESTA DE ANIVERSÁRIO NO CASARÃO TAMBÉM CELEBROU A PRIMEIRA CONQUISTA DO FUTEBOL RUBRO-NEGRO.

A CAMISA QUADRICULADA DO FLAMENGO ERA CHAMADA PELOS ADVERSÁRIOS DE PAPAGAIO DE VINTÉM, UMA ALUSÃO ÀS PIPAS BARATAS ERGUIDAS PELAS CRIANÇAS. A PAPAGAIO GUARDA CONSIGO TRÊS MOMENTOS ETERNOS: O PRIMEIRO JOGO, A PRIMEIRA FOTO POSADA E A PRIMEIRA CONQUISTA DO FUTEBOL, PELO SEGUNDO QUADRO.

NO DIA 16 DE ABRIL DE 1913, O FLAMENGO ENVIOU UM OFÍCIO À LIGA, COMUNICANDO A MUDANCA DE UNIFORME. A NOVA CAMISA FOI CHAMADA DE COBRA-CORAL. COM ELA, PÍNDARO SE CONSAGROU E PASSOU A SER CHAMADO DE GIGANTE DE PEDRA.

O CANHOTO RIEMER, VINDO DO SEGUNDO QUADRO, MARCOU DOIS GOLS NA VITÓRIA POR 3 X 0 SOBRE O FLUMINENSE, NO DIA 9 DE NOVEMBRO DE 1913. NA PRELIMINAR, MESMO SEM RIEMER, O SEGUNDO QUADRO RUBRO-NEGRO FEZ 3 X 1 NOS TRICOLORES E SE TORNOU BICAMPEÃO DA CATEGORIA.

NO DIA DO SEU ANIVERSÁRIO DE 18 ANOS, O FLAMENGO VENCEU O AMERICA POR 1 X 0, GOL DE RIEMER. O CAMPEONATO DE 1913 SERIA DECIDIDO EM UM TRIANGULAR EXTRA, POR FLAMENGO, AMERICA E BOTAFOGO. TODAVIA, O AMERICA CONSEGUIU ANULAR UMA PARTIDA QUE HAVIA PERDIDO PARA O SÃO CRISTÓVÃO. SOB PROTESTOS DE RUBRO-NEGROS E ALVINEGROS, O AMERICA ENFRENTOU DE NOVO O SÃO CRISTÓVÃO E FOI O CAMPEÃO.

RIO DE JANEIRO, FEVEREIRO DE 1914.
SENHORES, ESTOU CONVICTO DE QUE DEVEMOS AUMENTAR AS SESSÕES DE TRAINING, E ESTENDÊ-LAS AO NOSSO VITORIOSO SEGUNDO QUADRO. DE LÁ VEIO O RIEMER, QUE SE PROVOU UM VALOROSO FORWARD.
NO CAFÉ LAMAS, AINDA RECUPERANDO-SE DE UMA FRATURA SOFRIDA EM JOGO DA SELEÇÃO CARIOCA, ALBERTO BORGERTH PROPÕE A NERY E EDMUNDO DE AZURÉM FURTADO, PRESIDENTE DO FLAMENGO, UM PLANEJAMENTO PARA O FUTEBOL RUBRO-NEGRO.
VOCÊ ESTÁ CERTO, ALBERTO. PRECISAMOS PRATICAR MAIS.
VAMOS AMPLIAR NOSSOS HORÁRIOS NO CAMPO DO RUSSEL.

AO SUCESSO DO FLAMENGO! HURRA!

OS QUADROS DO FLAMENGO PASSAM A TREINAR TODOS OS DIAS NO CAMPO DO RUSSEL, PARA UMA PLATEIA CADA VEZ MAIOR.
MUITO BEM, RIEMER!

CAMPO DE GENERAL SEVERIANO, 10 DE MAIO DE 1914. O FLAMENGO ABRE SUA CAMINHADA RUMO AO PRIMEIRO TÍTULO, VENCENDO O RIO CRICKET COM FACILIDADE, 3 X 0. RIEMER FAZ UM GOL E AMARANTE OUTROS DOIS - UM DELES, DE PÊNALTI.

UMA SEMANA DEPOIS, TAMBÉM NO CAMPO DO BOTAFOGO, O FLAMENGO ENFRENTOU PELA PRIMEIRA VEZ UM ADVERSÁRIO DE FORA DO RIO E EMPATOU POR 2 X 2 COM O MACKENZIE COLLEGE, DE SÃO PAULO. RIEMER MARCOU DUAS VEZES COM O CHUTE QUE SE TRANSFORMARIA EM SUA ASSINATURA: UMA BOMBA DE CANHOTA A MEIA-ALTURA.

HANSEATICA
MUNCHEN E CASCATINHA
SÃO AS MELHORES CERVEJAS DO BRASIL
SALITRE DO CHILE
O MELHOR ADUBO PARA CULTURAS DE JARDINS CAFESAES CANAVIAES E ETC
CAMPOS SALES LOTOU NO DIA 14 DE JULHO DE 1914, NO RETORNO DE BORGERTH. VITÓRIA DE VIRADA SOBRE O AMERICA, COM DOIS GOLS NA ETAPA FINAL. O DE EMPATE, UMA PAULADA DE PÍNDARO EM COBRANÇA DE FALTA.

17

NO DIA 26 DE JULHO DE 1914, O FLAMENGO FECHOU O PRIMEIRO TURNO COMO LÍDER AO BATER O FLUMINENSE DE VIRADA, POR 3 X 2. RIEMER FEZ O PRIMEIRO...

... E TAMBÉM O TERCEIRO, DE PÊNALTI, APESAR DOS ESFORÇOS DO GOLEIRO MARCOS CARNEIRO DE MENDONÇA.

PAUSA NO CAMPEONATO. NO DIA 4 DE SETEMBRO DE 1914, O NAVIO ORION ATRACOU NO PORTO DE PARANAGUÁ COM A DELEGAÇÃO DO FLAMENGO, QUE FAZIA A PRIMEIRA EXCURSÃO DE SUA HISTÓRIA. JOAQUIM AMÉRICO, PRESIDENTE DO INTERNATIONAL FOTT-BALL CLUB, RECEPCIONOU OS RUBRO-NEGROS E OS ACOMPANHOU NO TREM ATÉ CURITIBA.

NO DIA SEGUINTE, NA INAUGURAÇÃO DO BELÍSSIMO ESTÁDIO DA BAIXADA, O FLAMENGO GOLEOU O INTERNATIONAL POR 7 X 1. A EXCURSÃO AINDA TEVE OUTRAS DUAS GOLEADAS: 9 X 1 EM UMA SELEÇÃO DA CAPITAL, TAMBÉM NA BAIXADA, E 15 X 0 NO PARANAGUÁ, DA CIDADE HOMÔNIMA.

DE VOLTA AO CAMPEONATO, JOGO DURO CONTRA O PAYSANDU, DE SIDNEY PULLEN, NO DIA 25 DE OUTUBRO. BAENA GARANTIU O EMPATE SEM GOLS NO PRIMEIRO TEMPO, COM CINCO DEFESAS DIFÍCEIS.

NA ETAPA FINAL, RIEMER VENCEU O GOLEIRO TAYLOR E FEZ O GOL DA VITÓRIA. NINGUÉM MAIS DUVIDAVA QUE O FLAMENGO SERIA O CAMPEÃO.

CAMPO DA RUA GENERAL SEVERIANO, 15 DE NOVEMBRO DE 1914. O FLAMENGO ENFRENTA O FLUMINENSE PELA PENÚLTIMA RODADA E UMA VITÓRIA ASSEGURARIA O TÍTULO ANTECIPADAMENTE. BORGERTH MARCA LOGO NO COMEÇO.

POUCO DEPOIS, A BOLA BATE NO BRAÇO DE RIEMER E ENTRA. O ÁRBITRO SIDNEY PULLEN VALIDA O GOL. RIEMER E BORGERTH, ESTE COMO CAPITÃO, ACUSAM A IRREGULARIDADE. O TENTO É ANULADO, SOB APLAUSOS DA PLATEIA.
CLAP
CLAP
CLAP

NA SEQUÊNCIA, O FLUMINENSE EMPATA. JÁ NO SEGUNDO TEMPO, RIEMER SOLTA A CANHOTA E FAZ 2 X 1. O ADVERSÁRIO PARTIRIA PARA O TUDO OU NADA.

O ÚLTIMO LANCE É UMA DEFESA MILAGROSA DE BAENA. O RUBRO-NEGRO VENCE PELA PRIMEIRA VEZ O CAMPEONATO PRINCIPAL. NA PRELIMINAR, A GOLEADA POR 4 X O HAVIA TORNADO O FLAMENGO TRICAMPEÃO ENTRE OS SEGUNDOS QUADROS.

19

A FESTA FOI ALÉM DO RECO-RECO NO CASARÃO 22. NO SÁBADO, 6 DE DEZEMBRO, O ASSOCIADO MAURICIO MENDES DE VASCONCELLOS PROMOVEU UMA NOITE DE GALA PARA OS DOIS QUADROS DO FUTEBOL RUBRO-NEGRO. OS CAMPEÕES DE 1914 USAVAM *BLACKTIE*.

EM 1915, O INGLÊS SIDNEY PULLEN TROCOU O PAYSANDU PELO FLAMENGO. NA SEGUNDA RODADA, ELE MARCOU UM DOS GOLS NOS 5 X 0 CONTRA O FLUMINENSE. MAS PULLEN NÃO SERIA A ÚNICA NOVIDADE DA TEMPORADA.

A DIRETORIA, LIDERADA POR EDMUNDO DE AZURÉM FURTADO, REFORMAVA O CAMPO DA RUA PAYSANDU. O ESTÁDIO, ARRENDADO JUNTO DA FAMÍLIA GUINLE, PASSARIA A SER A CASA DO FLAMENGO.
CRF

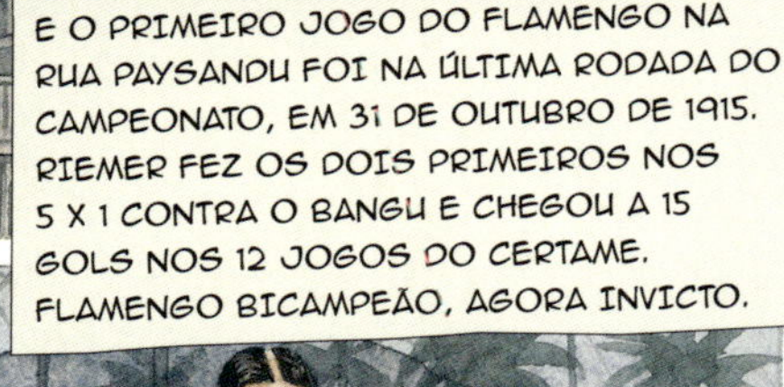
E O PRIMEIRO JOGO DO FLAMENGO NA RUA PAYSANDU FOI NA ÚLTIMA RODADA DO CAMPEONATO, EM 31 DE OUTUBRO DE 1915. RIEMER FEZ OS DOIS PRIMEIROS NOS 5 X 1 CONTRA O BANGU E CHEGOU A 15 GOLS NOS 12 JOGOS DO CERTAME. FLAMENGO BICAMPEÃO, AGORA INVICTO.

CRF

A FAÇANHA FOI CELEBRADA COM UMA GRANDE FESTA NO CASARÃO 22, BATIZADO PELO MORADOR E REMADOR RUBRO-NEGRO, GENTIL MONTEIRO DO REGO, DE REPÚBLICA *PAZ E AMOR*.

EM DEZEMBRO DE 1915, O FLAMENGO ENCAROU UMA LONGA VIAGEM DE NAVIO PARA SEIS JOGOS EM BELÉM CONTRA TIMES PARAENSES. DEPOIS DE QUATRO VITÓRIAS E DOIS EMPATES, A DELEGAÇÃO EMBARCOU DE VOLTA PARA O RIO NO DIA 10 DE JANEIRO DE 1916, COM CINCO TROFÉUS NA BAGAGEM.

EM 4 DE JUNHO DE 1916, DE UNIFORME NOVO, O FLAMENGO INAUGUROU OFICIALMENTE O ESTÁDIO DA PAYSANDU E BATEU O SÃO BENTO, DE SÃO PAULO, POR 3 X 1. OS CAPITÃES NERY E LAGRECA DISCURSARAM ANTES DO JOGO.

NÃO ERA SÓ NO FUTEBOL QUE O FLAMENGO TINHA CASA NOVA. EM 1916, O CASARÃO 22 FICOU PARA TRÁS E O CLUBE SE INSTALOU NO PRÉDIO QUE COMPROU QUASE AO LADO, O ANTIGO 26, QUE NA NUMERAÇÃO DA NOVA AVENIDA BEIRA-MAR PASSOU A SER 68.

NA TARDE DE 13 DE AGOSTO DE 1916, O FLAMENGO CONQUISTOU PELA PRIMEIRA VEZ O CAMPEONATO DE REMO, COM A YOLE AYMORÉ. ALCIDES SHORT VIEIRA, GUILHERME LORENA, ARTHUR DE SÁ BRITO, MANOEL ALVERNAZ, MANOEL DE ALMEIDA, EVERARDO PEREZ DA SILVA, HAROLDO BORGES LEITÃO E OCTAVIO TEIXEIRA SOARES, PATROADOS POR PAULO RAMOS NOGUEIRA, LEVARAM O FLAMENGO AO ALTO DO PÓDIO.

EMMANUEL NERY JÁ ERA SINÔNIMO DE FLAMENGO EM 29 DE OUTUBRO DE 1916, MAS FOI NAQUELA TARDE QUE O ZAGUEIRO REFINADO, DE DESARME LIMPO, FEZ A MAIS MEMORÁVEL DE SUAS ATUAÇÕES. A SETE MINUTOS DO FIM, O BOTAFOGO ABRIU 3 X 1 EM PLENA RUA PAYSANDU. ENTÃO NERY SE TRANSFORMOU: FOI DEFENSOR, FOI MEIA, FOI ATACANTE. FALTANDO TRÊS MINUTOS, ELE DIMINUIU PARA 3 X 2. E NO ÚLTIMO LANCE, EMPATOU O JOGO. SAIU DE CAMPO NOS BRAÇOS DA TORCIDA.

NO DIA 10 DE MAIO DE 1917, O FLAMENGO FEZ SEU PRIMEIRO JOGO INTERNACIONAL, RECEBENDO O BARRACAS, DA ARGENTINA. RIEMER FORMOU O ATAQUE COM GUSTAVINHO, DE VOLTA DA EUROPA, E COM O ASTRO FRIEDENREICH, EMPRESTADO PELO YPIRANGA. O PLACAR FOI 1 X 1.

PÍNDARO, JÁ MÉDICO SANITARISTA, PASSOU A CONCILIAR O FUTEBOL COM A MEDICINA. EM 1918, ELE ATUOU NO COMBATE À PANDEMIA DA GRIPE ESPANHOLA NO RIO E EM MINAS GERAIS.

EM 12 DE AGOSTO DE 1917, NOVAMENTE COM A YOLE AYMORÉ, OS RUBRO-NEGROS LEVAM O BICAMPEONATO NO REMO.

EM 1919, FOI REALIZADO O PRIMEIRO CAMPEONATO DE BASQUETE DO RIO DE JANEIRO. O FLAMENGO CONQUISTOU O TÍTULO AO VENCER O JOGO DE DESEMPATE CONTRA O TIME DA ACM – ASSOCIAÇÃO CRISTÃ DE MOÇOS – POR 33 X 29, NO DIA 19 DE DEZEMBRO. OS CAMPEÕES – MARVIN, SAINTIVE, RIZZO, ITAGIBE E MÁRIO – FORAM CAPA DA REVISTA *VIDA SPORTIVA*.

O FLAMENGO CHEGAVA RENOVADO A 1920. A GARAGEM DE BARCOS NO NÚMERO 68 ABRIGAVA UMA FLOTILHA MODERNA, ORGULHO DO PRESIDENTE ALBERTO BURLE DE FIGUEIREDO, E JÁ NÃO LEMBRAVA O ÚMIDO SOCAVÃO DOS TEMPOS DO 22.

NO GRAMADO, NÃO HAVIA MAIS NENHUM JOGADOR DO TIME DE 1912 – EXCETO POR ALGUMA APARIÇÃO ESPORÁDICA. O VETERANO ERA SIDNEY PULLEN, DE VOLTA DA EUROPA APÓS TER SERVIDO NO EXÉRCITO INGLÊS NA GRANDE GUERRA. COM ELE, DESTACAVAM-SE O GOLEIRO KUNTZ, O BEQUE TELEFONE, OS MÉDIOS SISSON E JAPONÊS E OS ATACANTES CANDIOTA E JUNQUEIRA.

NO DIA 4 DE ABRIL DE 1920, O FLAMENGO CONQUISTOU O TORNEIO INÍCIO, BATENDO O SÃO CRISTÓVÃO NA DECISÃO, GRAÇAS AO ÚNICO GOL DE OSCAR CARREGAL.

NA TERCEIRA RODADA DO CAMPEONATO DE 1920, PULLEN E JUNQUEIRA MARCARAM NOS 2 X 1 CONTRA O FLUMINENSE, E FORAM CARREGADOS PELA TORCIDA AO FINAL DO JOGO.

NA SEXTA RODADA, O FLAMENGO ENFRENTOU O PALMEIRAS ATHLETIC CLUB, CAMPEÃO DA SEGUNDA DIVISÃO DO ANO ANTERIOR, DO PROMISSOR ATACANTE NONÔ. PÍNDARO JÁ HAVIA PARADO DE JOGAR, MAS FOI A CAMPO PORQUE O TIME ESTAVA MUITO DESFALCADO. SERIA SEU ÚNICO JOGO NA TEMPORADA.

NA SAÍDA DO SEGUNDO TEMPO, NONÔ RECEBEU E, DO MEIO DE CAMPO, CHUTOU NA DIREÇÃO DO GOL DE KUNTZ, PARA SURPRESA DE TODOS.

KUNTZ ESTAVA ADIANTADO E SALTOU DE COSTAS, SALVANDO O GOL COM A PONTA DOS DEDOS. A PLATEIA APLAUDIU O CHUTE E A DEFESA. O FLAMENGO VENCEU POR 5 X 0.

APÓS O JOGO, KUNTZ CUMPRIMENTOU NONÔ PELA ATUAÇÃO E FEZ UM CONVITE.
NONÔ, VOCÊ PRECISA VIR PARA O FLAMENGO...

NO DIA 11 DE JUNHO, NA RUA PAYSANDU, O FLAMENGO VENCEU O BOTAFOGO DE VIRADA POR 2 X 1. GERALDO EMPATOU COM UM CHUTE A MEIA-ALTURA, E JUNQUEIRA FEZ O DA VITÓRIA CHUTANDO CRUZADO E RASTEIRO, O SEXTO DE SEUS 15 GOLS NO CAMPEONATO.

DOMINGO, 15 DE AGOSTO DE 1920. NA ENSEADA DE BOTAFOGO, A YOLE AYMORÉ CRUZA EM PRIMEIRO NA REGATA DO CAMPEONATO. A COMEMORAÇÃO SE ESTENDEU ATÉ O ESTÁDIO DO BOTAFOGO, ONDE OS RUBRO-NEGROS VENCERAM OS ALVINEGROS POR 3 X 1, GOLS DE SISSON, PULLEN E JUNQUEIRA.

SE AO FUTEBOL FALTAVA CONFIRMAR O TÍTULO DA TEMPORADA, A GUARNIÇÃO DA AYMORÉ JÁ PODIA POSAR PARA A FOTO DOS CAMPEÕES. EM PÉ: OLÍMPIO TÁVORA, CARLITO GAMA CRUZ, ANTÔNIO CASTELLO BRANCO E ALBERTO QUADROS; AGACHADOS: GUILHERME GEYER, ARNALDO VOIGT, O PATRÃO JÁCOMO GLECK, EVERARDO PERES DA SILVA E MANOEL ALVERNAZ.

DOIS MESES DEPOIS, ARNALDO VOIGT VENCEU A PROVA INDIVIDUAL DO CAMPEONATO BRASILEIRO DO REMADOR. NO DOMINGO CHUVOSO DE 17 DE OUTUBRO, NA ENSEADA DE BOTAFOGO, ELE FEZ A CANOA FLAMENGO CRUZAR A MARCA FINAL DE MIL METROS COM GRANDE VANTAGEM SOBRE OS DEMAIS.

NO DIA 8 DE NOVEMBRO, FAUSTINO MONTEIRO ESPOSEL FOI ELEITO PRESIDENTE DO FLAMENGO. MÉDICO, ESPOSEL HAVIA INTEGRADO A MISSÃO BRASILEIRA QUE FOI A PARIS EM 1918 PARA TRATAR FERIDOS DE GUERRA, ENVOLVENDO--SE AINDA NO COMBATE À GRIPE ESPANHOLA. ELE SE TORNARIA FIGURA FUNDAMENTAL NA EXPANSÃO DO CLUBE.

O TÍTULO DE CAMPEÃO DE 1920 VEIO COM DUAS RODADAS DE ANTECEDÊNCIA. NO DOMINGO, 28 DE NOVEMBRO, PULLEN MARCOU O GOL DA VITÓRIA POR 2 X 1 SOBRE O ANDARAÍ. O FLAMENGO ERA, PELA PRIMEIRA VEZ, CAMPEÃO DE TERRA E MAR.

A COMEMORAÇÃO FOI COM O HINO RECÉM-COMPOSTO POR PAULO MAGALHÃES, QUE HAVIA SIDO ATLETA DO CLUBE.
FLAMENGO, FLAMENGO,
TUA GLÓRIA É LUTAR!
FLAMENGO, FLAMENGO,
CAMPEÃO DE TERRA E MAR!

ASSIM COMO EM 1915, O FLAMENGO CELEBRAVA O TÍTULO INVICTO. EM PÉ, JUNQUEIRA, JOÃO DE DEUS, RODRIGO, SISSON, TELEFONE, CANDIOTA, PULLEN, BURGOS, DINO E WALDEMAR. AGACHADO, KUNTZ. OS IMBATÍVEIS DE 1920.

PARA BUSCAR O BI EM 1921, O FLAMENGO APRESENTOU DUAS NOVIDADES. A PRIMEIRA, O TREINADOR URUGUAIO RAMÓN PLATERO. A SEGUNDA, O ATACANTE NONÔ, PERFEITA ENCARNAÇÃO DA CAMISA 9, ANTES MESMO DE ESTA SER INVENTADA.

NA TERCEIRA RODADA DO CAMPEONATO DE 1921, EM 1º DE MAIO, O FLAMENGO TINHA PELA FRENTE O AMERICA, CANDIDATO AO TÍTULO. CANDIOTA DEU A SAÍDA TOCANDO PARA NONÔ.

QUANDO ESTAVA NO PALMEIRAS, NONÔ VIU SEU GOL DO MEIO DE CAMPO SER EVITADO POR KUNTZ. AGORA SERIA DIFERENTE.

POU!

O GOLEIRO MIRIM SE ATIROU EM VÃO. A BOMBA DE NONÔ ESTOUROU A REDE AMERICANA E REPERCUTIRIA MAIS QUE A VITÓRIA POR 4 X 0.

NAS ENTREVISTAS APÓS O JOGO, NONÔ DEU DETALHES DO LANCE HISTÓRICO.

EU TREINO KICKS DO CENTRO DO CAMPO. O GOL DEVE SER FEITO DE TODAS AS FORMAS.

FLAMENGO E AMERICA DECIDIRAM O CAMPEONATO EM UM JOGO EXTRA, NO DIA 4 DE SETEMBRO, NAS LARANJEIRAS. O AMERICA SAIU À FRENTE, NONÔ EMPATOU. NA PRORROGAÇÃO, CANDIOTA FEZ O GOL DO BICAMPEONATO, ASSEGURADO POR GRANDES DEFESAS DE KUNTZ. O CORSO DA VITÓRIA, EM CARROS ABERTOS COM JOGADORES E TORCEDORES, ESPALHOU A ALEGRIA RUBRO-NEGRA PELAS RUAS DO RIO.

O FLAMENGO COMEÇAVA A SE DESTACAR TAMBÉM NO ATLETISMO. DO SEGUNDO QUADRO DO FUTEBOL, VEIO ULYSSES MALAGUTTI, MULTICAMPEÃO NAS PISTAS, VELOCISTA E FUNDISTA, ATLETA OLÍMPICO E ORGULHO NACIONAL.

O ANO DE 1922 MARCOU A ESTREIA DO ZAGUEIRO ORLANDO PENAFORTE, QUE SE MOSTRARIA À ALTURA DA TRADIÇÃO RUBRO-NEGRA DE GRANDES DEFENSORES.
JÁ EM 1923, AMADO BENIGNO RECEBEU A DIFÍCIL MISSÃO DE SUBSTITUIR KUNTZ NO GOL...
... E CHEGOU O ATACANTE MODERATO, QUE CONTRIBUIRIA COMO POUCOS PARA A MÍSTICA DA CAMISA RUBRO-NEGRA.

28

DOIS JOGOS DE 1923 ENTRARAM PARA A HISTÓRIA. O VASCO VINHA DE OITO VITÓRIAS CONSECUTIVAS, MAS CAIU DIANTE DO FLAMENGO NO DIA 8 DE JULHO. NONÔ FOI O GRANDE NOME DA VITÓRIA POR 3 X 2.
JÁ EM 7 DE SETEMBRO, O FLAMENGO ENFRENTOU O PAULISTANO, NO JARDIM AMÉRICA, E VENCEU POR 3 X 0, NO DIA EM QUE AMADO PAROU FRIEDENREICH.

MAIO DE 1924, ESTÚDIOS DA RÁDIO SOCIEDADE. FAUSTINO ESPOSEL FAZ UMA VISITA AO PROPRIETÁRIO, SEU AMIGO EDGARD ROQUETTE-PINTO.

EDGARD, PRECISAMOS IRRADIAR OS JOGOS DO FLAMENGO. QUERO LEVAR O CLUBE ALÉM DAS FRONTEIRAS.
FAUSTINO, CARO AMIGO, TALVEZ UM POUCO DE CULTURA POPULAR AJUDE MESMO NA EXPANSÃO DA RADIODIFUSÃO...

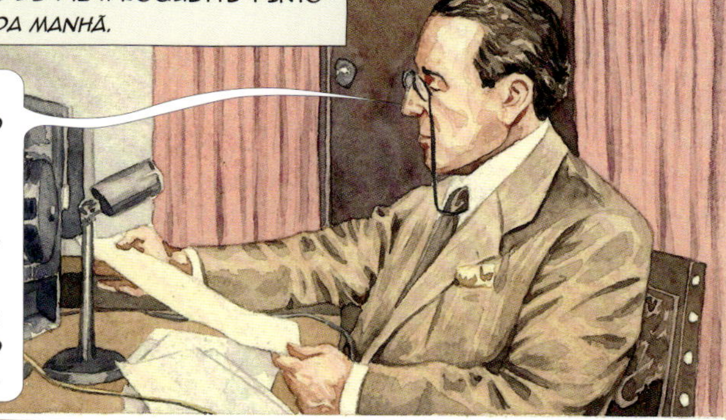
DOMINGO, 8 DE JUNHO DE 1924. ROQUETTE-PINTO ENCERRAVA O JORNAL DA MANHÃ.
ÀS 15H20, SERÁ IRRADIADO O ENCONTRO ENTRE FLAMENGO E AMERICA, COM O CONCURSO DA COMPANHIA TELEFÔNICA. ESTA É A RÁDIO SOCIEDADE, PELA CULTURA DOS QUE VIVEM EM NOSSA TERRA E PELO PROGRESSO DO BRASIL.

E AGORA, ÀS 15H45, APÓS UM CORNER EXECUTADO POR INTERMÉDIO DE CANDIOTA...
NA HORA DO JOGO, OS CRONISTAS DOS JORNAIS ESCRITOS SE REVEZAVAM EM TELEFONEMAS PARA A RÁDIO SOCIEDADE, DE ONDE UM LOCUTOR COLOCAVA NO AR OS ACONTECIMENTOS.

E ASSIM, JOSÉ FERNANDES SEABRA MARCOU O PRIMEIRO GOL TRANSMITIDO PELO RÁDIO NO BRASIL.
... A PELOTA CHEGOU À SEABRA QUE VAZOU A META AMERICANA.

29

QUEM TINHA RECEPTOR EM CASA, TOMOU CONHECIMENTO DO RESULTADO AO MESMO TEMPO QUE A PLATEIA NO ESTÁDIO.

NESTE MOMENTO SE ENCERRA O ENCONTRO, COM CINCO GOLS PARA O FLAMENGO E UM PARA O AMERICA.
NO DOMINGO SEGUINTE, A RÁDIO SOCIEDADE REGISTROU A HOMENAGEM DO FLAMENGO A UM PAÍS VIZINHO, POR UM FEITO QUE ORGULHAVA TODO O CONTINENTE.
CRF
... E A PLATEIA APLAUDE OS RUBRO-NEGROS QUE AGITAM UMA BANDEIRA DO URUGUAI, QUE CONQUISTOU A MEDALHA DE OURO OLÍMPICA, EM PARIS...

EM 1925, O FLAMENGO FOI PELA PRIMEIRA VEZ A PERNAMBUCO. NO DIA 15 DE JANEIRO, A DELEGAÇÃO FOI RECEPCIONADA NA LUXUOSA CONFEITARIA CRYSTAL, NA CAPITAL. MESMO DESFALCADO DE NONÔ, O TIME SE MANTEVE INVICTO E CONQUISTOU QUATRO TROFÉUS.
A CRYSTAL
DE VOLTA AO RIO, O FLAMENGO COMEÇOU O CAMPEONATO DE MODO ARRASADOR, COM SETE VITÓRIAS CONSECUTIVAS. NONÔ FAZIA GOLS DE TODOS OS JEITOS. NOS 8 X 0 CONTRA O BRASIL, FORAM QUATRO. NOS 5 X 1 CONTRA O AMERICA, MAIS QUATRO.
NONÔ TAMBÉM DEIXOU O DELE NOS 3 X 2 CONTRA O SÃO CRISTÓVÃO, NO DIA 13 DE MAIO, NA ÚLTIMA ATUAÇÃO DE SIDNEY PULLEN PELO CLUBE. PARADO DESDE O FINAL DE 1923, ELE ACEITOU JOGAR PARA COBRIR DESFALQUES E FOI OVACIONADO NA PAYSANDU.
CRF

NO DIA 28 DE JUNHO, VADINHO APRESENTARIA SUA VOCAÇÃO PARA DECIDIR JOGOS CONTRA O VASCO, MARCANDO OS DOIS GOLS DA VITÓRIA POR 2 X 0 QUE ASSEGUROU A LIDERANÇA RUBRO-NEGRA.

O FLAMENGO MANTEVE O RITMO NO SEGUNDO TURNO, E NONÔ TAMBÉM. NOS 6 X 0 CONTRA O BRASIL NO DIA 12 DE JULHO, FORAM CINCO DO ARTILHEIRO.

VADINHO E NONÔ ABRIRAM 2 X 0 CONTRA O BOTAFOGO, EM GENERAL SEVERIANO, NO DIA 25 DE OUTUBRO. OS ALVINEGROS BUSCARAM O EMPATE, MAS UMA CABEÇADA DE NONÔ VALEU A VITÓRIA POR 3 X 2. O TÍTULO DE 1925 ESTAVA PRÓXIMO.

NO DIA 22 DE NOVEMBRO, DOIS TÍTULOS. O SEGUNDO QUADRO VENCEU O AMERICA POR 2 X 0, COM DESTAQUE PARA FLAVIO COSTA, NO MEIO, E PARA O GOLEIRO AMADO, QUE DEFENDEU UM PÊNALTI. FOI O PRIMEIRO TROFÉU DA TARDE.

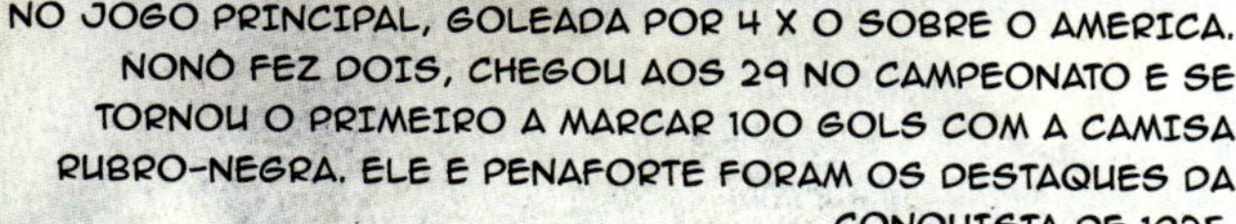
NO JOGO PRINCIPAL, GOLEADA POR 4 X 0 SOBRE O AMERICA. NONÔ FEZ DOIS, CHEGOU AOS 29 NO CAMPEONATO E SE TORNOU O PRIMEIRO A MARCAR 100 GOLS COM A CAMISA RUBRO-NEGRA. ELE E PENAFORTE FORAM OS DESTAQUES DA CONQUISTA DE 1925.

NO COMEÇO DE 1926, FAUSTINO ESPOSEL CONVENCEU O PREFEITO DO RIO DE JANEIRO, ALAOR PRATA, A CEDER AO FLAMENGO UMA ÁREA ÀS MARGENS DA LAGOA RODRIGO DE FREITAS.
A REGIÃO AINDA NÃO ERA URBANIZADA. ESPOSEL ORGANIZOU UMA EXPEDIÇÃO COM ATLETAS DE TODAS AS MODALIDADES ATÉ O TERRENO ONDE ELE, ANTES DE QUALQUER OUTRO, HAVIA ENXERGADO O FUTURO RUBRO-NEGRO. "AO REDOR DE UMA BANDEIRA DO FLAMENGO, PODE-SE FAZER UM CLUBE, UMA VIZINHANÇA, UMA CIDADE E ATÉ UM PAÍS", PROFETIZOU.
MAS O FLAMENGO AINDA TERIA MUITAS TARDES NA PAYSANDU. A MAIS MARCANTE EM 1926 FOI EM 15 DE AGOSTO: FLAMENGO 8 X 1 BOTAFOGO.
CRF
NO FINAL DAQUELE ANO, O ESTÁDIO DA RUA PAYSANDU FOI SOLICITADO PARA UM JOGO ENTRE DUAS LIGAS DISSIDENTES: A DE AMADORES DE SÃO PAULO E A ASSOCIACIÓN AMATEURS, DA ARGENTINA. A CBD PROIBIU O EMPRÉSTIMO ALEGANDO QUE SE TRATAVAM DE ORGANIZAÇÕES NÃO RECONHECIDAS PELA FIFA. O FLAMENGO AFIRMOU QUE ERA SOBERANO PARA TOMAR A DECISÃO E O JOGO ACONTECEU. A CBD PUNIU O CLUBE COM UMA SUSPENSÃO DE 12 MESES.

A PUNIÇÃO TEVE CONSEQUÊNCIAS. NONÔ, DESGOSTOSO, ABANDONOU O FUTEBOL. OUTROS TROCARAM DE CLUBE. O CASO MAIS RUMOROSO FOI O DE ORLANDO PENAFORTE, QUE TROCOU A PAYSANDU PELA CAMPOS SALLES.

AMADO, FLAVIO COSTA, VADINHO E MODERATO LIDERARAM O MOVIMENTO PARA MANTER AS ATIVIDADES. SOMENTE NO DIA 22 DE ABRIL, A UMA SEMANA DO INÍCIO DO CAMPEONATO, A PENA FOI REVOGADA. ENQUANTO AMERICA, BOTAFOGO, VASCO E FLUMINENSE HAVIAM SE REFORÇADO, O FLAMENGO MAL REUNIA 11 JOGADORES.

MAS, NO DIA 12 DE JUNHO, AO BATER POR 1 X 0 O FLUMINENSE, QUE VINHA DE CINCO VITÓRIAS EM CINCO JOGOS, OS RUBRO-NEGROS MOSTRARAM QUE LUTARIAM ATÉ O FIM.

UMA SEMANA DEPOIS, OUTRO CLÁSSICO. ASSIM COMO O FLUMINENSE, O VASCO ERA O FAVORITO. ERA. TRÊS GOLS DE VADINHO E DEFESAS FANTÁSTICAS DE AMADO CONSTRUÍRAM O 3 X 0 FINAL.

NO DIA 4 DE SETEMBRO DE 1927, PELA PENÚLTIMA RODADA, FLAMENGO E VASCO SE ENFRENTARAM EM SÃO JANUÁRIO. EM JOGOS OFICIAIS, O VASCO JAMAIS HAVIA PERDIDO EM SUA NOVA CASA. NONÔ, DE VOLTA AO FLAMENGO PARA A RETA FINAL, MARCOU COM UM CHUTE DE 30 METROS.

VADINHO FEZ O OUTRO GOL DA VITÓRIA POR 2 X 1. NA PRELIMINAR, O 3 X 3 DEU AOS RUBRO--NEGROS O TÍTULO DOS SEGUNDOS QUADROS. O FLAMENGO SAIU DE SÃO JANUÁRIO CAMPEÃO DE UM CERTAME E LÍDER DE OUTRO.

DUAS SEMANAS DEPOIS, OCORREU A DECISÃO CONTRA O AMERICA NA RUA PAYSANDU. MODERATO ESTAVA DE VOLTA, APÓS TER PASSADO POR UMA COMPLICADA CIRURGIA POR UMA APENDICITE SUPURADA. E FOI DE SEUS PÉS QUE SAIU O CRUZAMENTO...
VAI, NONÔ!

... PARA NONÔ SUBIR MAIS QUE TODA A DEFESA E CABECEAR FIRME PARA FAZER O SEU SEGUNDO GOL EM DOIS JOGOS.

NA ETAPA FINAL, MODERATO, QUE AINDA RESSENTIA A CIRURGIA E JOGAVA ENFAIXADO, CHUTOU CRUZADO E A BOLA BATEU EM PENAFORTE ANTES DE ENTRAR. DELÍRIO NA PAYSANDU.

O FLAMENGO FOI CAMPEÃO VENCENDO POR 2 X 1 E MODERATO VIROU HERÓI. PARA RUY CASTRO, "A IDEIA DE QUE MODERATO PUDESSE MORRER EM CAMPO, COM OS PONTOS ESTOURADOS E O SANGUE CONFUNDINDO-SE COM O VERMELHO DA CAMISA – TUDO ISSO PELO FLAMENGO – ERA DEMAIS PARA O HOMEM COMUM".

TAÇA "SALUTARIS"
QUAL O CLUB DE FOOTBALL DE SIMPATHIA
VOTO NO
Flamengo
Taça Salutaris
O PRESTÍGIO DO CAMPEÃO IMPROVÁVEL FOI AFERIDO LOGO DEPOIS. NO DIA 1º DE OUTUBRO DE 1927, O *JORNAL DO BRASIL* LANÇOU UM CONCURSO PARA ELEGER O CLUBE MAIS POPULAR DO RIO. O VENCEDOR RECEBERIA A TAÇA SALUTARIS, OFERTADA PELA FÁBRICA DE ÁGUA MINERAL DE MESMO NOME.

NO DIA 3 DE JANEIRO DE 1928, O JB PUBLICOU O RESULTADO: FLAMENGO EM PRIMEIRO, COM 254.851 VOTOS. O TROFÉU FOI ENTREGUE AO CLUBE UMA SEMANA DEPOIS, MAS AQUI FAREMOS UMA HOMENAGEM QUE NUNCA ACONTECEU. COM A SALUTARIS, MODERATO E UM TORCEDOR RUBRO-NEGRO QUE FOI A TODOS OS JOGOS DA CAMPANHA DE 1927: O BAIANO JAYME DE CARVALHO.

EM 1928, A MÉDICA E AMIGA DE ESPOSEL, ANNA TEIXEIRA LEITE, AQUI DE ROUPA VERDE, FUNDOU A PHALANGE FEMININA. AS MULHERES GANHAVAM ESPAÇO PARA PRATICAR ESPORTES NO CLUBE, COM UNIFORME PRÓPRIO.

EM FEVEREIRO, DOIS REMADORES RUBRO-NEGROS ENTRARAM PARA A HISTÓRIA. JOÃO SEGADAS VIANNA E ANTÔNIO JOÃO RIBEIRO, EM UMA TRAVESSIA DE 11 DIAS, FORAM DO RIO DE JANEIRO A SANTOS A BORDO DE UMA BALEEIRA. O *CORREIO DA MANHÃ* REGISTROU A PROEZA: "DA GUANABARA AO PORTO DE SANTOS, EM UMA VERDADEIRA CASCA DE NOZ".

NO DIA 24 DE MARÇO, O FLAMENGO ENFRENTOU O PALMEIRAS – AINDA PALESTRA ITALIA – NA RUA PAYSANDU. DEPOIS DE OITO MESES AUSENTE, NONÔ JOGOU E FEZ O GOL DA VITÓRIA. SUAS ATUAÇÕES SERIAM CADA VEZ MAIS ESPORÁDICAS E, DEPOIS DESTA, NONÔ BALANÇOU AS REDES SÓ MAIS DUAS VEZES.

O FLAMENGO SE MANTINHA FIEL AO AMADORISMO. QUEM JOGAVA NO CLUBE FAZIA-O POR AMOR. NO DIA 25 DE OUTUBRO DE 1929, O JORNAL *A CRÍTICA* PUBLICOU UMA DAS MAIS BELAS MANCHETES SOBRE A RESISTÊNCIA RUBRO-NEGRA: "O FLAMENGO ERA O TIME DO ENTUSIASMO E DA FÉ QUE MOVIA MONTANHAS".

O Flamengo Talvez Seja O
Que Não Precisa de Team Para Vence
Team Elle Não Tem, Mas
Tem Enthusiasmo e Aquela
Fé Que Move Montanhas

O FLAMENGO TERRESTRE JÁ IA ALÉM DO FUTEBOL E CONQUISTOU O TETRACAMPEONATO DE ATLETISMO NO DIA 31 DE AGOSTO DE 1930, COM DESTAQUE PARA O VELOCISTA IBERÊ REIS.

A VITÓRIA MAIS EMOCIONANTE FOI A DE BENEDETTI NOS 1.500 METROS, ARRANCANDO NO FIM SOB OS GRITOS DA PHALANGE FEMININA, COM TODAS AS INTEGRANTES UNIFORMIZADAS.

36

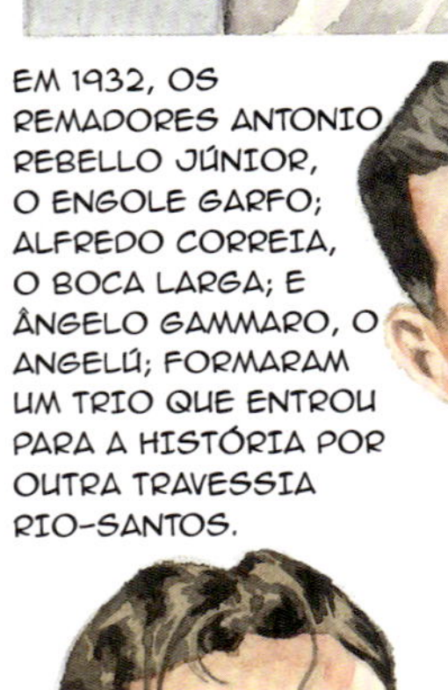
EM 1932, OS REMADORES ANTONIO REBELLO JÚNIOR, O ENGOLE GARFO; ALFREDO CORREIA, O BOCA LARGA; E ÂNGELO GAMMARO, O ANGELÚ; FORMARAM UM TRIO QUE ENTROU PARA A HISTÓRIA POR OUTRA TRAVESSIA RIO-SANTOS.

A CAPITANIA DOS PORTOS VETOU A TRAVESSIA E, NA NOITE DE 14 DE JANEIRO DE 1932, COLOCOU DUAS LANCHAS EM FRENTE À SEDE DO CLUBE PARA IMPEDIR A SAÍDA. MAS OS REMADORES LEVARAM A YOLE FLAMENGO PARA OUTRO PONTO E PARTIRAM DA PRAIA DO LEBLON.

DEPOIS DE CINCO DIAS, 14 HORAS E 15 MINUTOS, ELES CHEGARAM A SANTOS. NA VOLTA, FORAM RECEBIDOS COMO HERÓIS EM TODOS OS EVENTOS. COM OS REMADORES ESTAVA SUA MADRINHA, LYDIA VON IHERING.

LYDIA VON IHERING ERA UM SÍMBOLO DA PHALANGE FEMININA E COLABOROU PARA SUA EXPANSÃO. REMADORA DESDE 1928, ELA NÃO SE INTIMIDOU COM O AMBIENTE DA GARAGEM DOS BARCOS, REDUTO EXCLUSIVAMENTE MASCULINO ATÉ A SUA CHEGADA.

LYDYA

LYDIA TAMBÉM FOI ATLETA DE PONTA NA ESGRIMA, COMPETIU NA NATAÇÃO E NO TÊNIS E CRIOU O TIME DE VÔLEI FEMININO. ALÉM DISSO, FOI ÁRBITRA DE BASQUETE MASCULINO. LYDIA NÃO FOI MADRINHA DA TRAVESSIA DE 1932 POR ACASO. BRAVURA ERA COM ELA MESMO.

EM 1932, ELA NÃO PRECISAVA MAIS REMAR SOZINHA E JÁ ERA POSSÍVEL UM CONJUNTO DE OITO. ALÉM DA PRECURSORA, LÁ ESTAVAM EDITH, ELZA, SCONGRAD, EMMA, IDA, CARMEN E ILZA A DEFENDER O CLUBE FUNDADO POR REMADORES.

PARA IR AOS JOGOS, A DELEGAÇÃO DO FLAMENGO ANDAVA DE TREM, EM MEIO AO POVO. EM 1932, OS DESLOCAMENTOS PASSARAM A SER NO ÔNIBUS CONTRATADO DA VIAÇÃO EXCELSIOR.

OS DESTAQUES DO TIME ERAM O GOLEIRO FERNANDINHO E O MÉDIO FLAVIO COSTA. AMBOS ATUARAM NOS 5 X 0 CONTRA O BRASIL, EM 25 DE SETEMBRO DE 1932, O DIA DO ADEUS AO HISTÓRICO ESTÁDIO DA RUA PAYSANDU.
CRF

CINCO DIAS DEPOIS, O FLAMENGO GANHOU O CAMPEONATO CARIOCA DE BASQUETE, AO VENCER POR 18 X 14 O BRASIL. O TIME DO CAPITÃO WALDEMAR LEVOU O TÍTULO COM DUAS RODADAS DE ANTECEDÊNCIA.

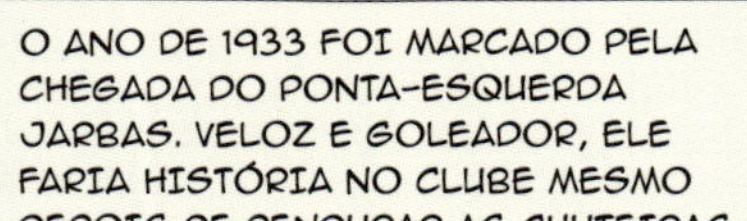
O ANO DE 1933 FOI MARCADO PELA CHEGADA DO PONTA-ESQUERDA JARBAS. VELOZ E GOLEADOR, ELE FARIA HISTÓRIA NO CLUBE MESMO DEPOIS DE PENDURAR AS CHUTEIRAS.

E JARBAS ESTEVE NA PRIMEIRA PARTIDA DO CLUBE NO EXTERIOR, EM MONTEVIDÉU. FLAMENGO 3 X 2 PEÑAROL, COM FLAVIO COSTA TRAVANDO UM DUELO HISTÓRICO COM PEREGRINO ANSELMO, NO DIA 2 DE ABRIL DE 1933.

ALÉM DE FLAVIO COSTA, O GOLEIRO FERNANDINHO FOI UM DOS PRINCIPAIS RESPONSÁVEIS PELA VITÓRIA, CALANDO 40 MIL PESSOAS NO CENTENÁRIO, ONDE O URUGUAI HAVIA VENCIDO A COPA DO MUNDO.

ELEITO PRESIDENTE DO FLAMENGO EM 3 DE FEVEREIRO DE 1933, JOSÉ BASTOS PADILHA CONDUZIU, NA NOITE DE 20 DE MAIO, A VOTAÇÃO QUE FEZ O CLUBE ADERIR AO PROFISSIONALISMO NOS ESPORTES, E EMENDOU TRÊS MANDATOS DE IMENSO IMPACTO PATRIMONIAL E ESPORTIVO.
NO BASQUETE, SEMPRE SOB A LIDERANÇA DE WALDEMAR GONÇALVES, O FLAMENGO CHEGARIA AO TETRACAMPEONATO ENTRE 1932 E 1935.
UM TORCEDOR SE DESTACOU NO TETRA DO BASQUETE. ABILIO APPELLA FOI A TODOS OS JOGOS E LIDERAVA A TORCIDA NOS GRITOS DE **FLA-MEN-GOOO!** ELE ABORDAVA OUTROS RUBRO-NEGROS NOS JOGOS DE FUTEBOL PARA VENDER INGRESSOS PARA O BASQUETE.
NO REMO, O FLAMENGO CONQUISTOU EM 1933 O TÍTULO QUE NÃO ERA SEU DESDE 1920. NA REGATA DE 29 DE OUTUBRO, NA LAGOA RODRIGO DE FREITAS, DESTAQUE PARA A VITÓRIA DE ENGOLE GARFO NA CATEGORIA *SINGLE SCULL*.
EM 1934, FLAVIO COSTA PENDUROU AS CHUTEIRAS E ASSUMIU A FUNÇÃO DE TREINADOR PARA O TORNEIO EXTRA, NO QUAL O ATACANTE ALFREDINHO MARCOU 16 GOLS, INCLUINDO O *HAT TRICK* CONTRA O VASCO NOS 4 X 1, EM 7 DE OUTUBRO.

O EXTRA DE 1934 FOI DECIDIDO EM UM FLA-FLU DEBAIXO DE CHUVA, EM 10 DE FEVEREIRO DE 1935, EM CAMPOS SALLES. A VITÓRIA DE VIRADA POR 2 X 1 VEIO EM GOLS DE SÁ E JARBAS, NA PRIMEIRA CONQUISTA DO FUTEBOL RUBRO-NEGRO NA ERA DO PROFISSIONALISMO.

40

JOSÉ BASTOS PADILHA DEU UM NOVO RITMO AO CLUBE. NO LUGAR DA GARAGEM DOS BARCOS, ONDE HAVIA SIDO A REPÚBLICA *PAZ E AMOR*, UMA NOVA SEDE FOI APRESENTADA EM 1933. LÁ MESMO, NO DIA 2 DE SETEMBRO DE 1934, FOI INAUGURADO O MONUMENTO AO ATLETA, DE AUTORIA DE HUMBERTO COZZO.

EM MARÇO DE 1936, COMEÇARAM A CHEGAR REFORÇOS DE PESO, QUE FIZERAM CRESCER A POPULARIDADE DO FLAMENGO. DO NACIONAL DE MONTEVIDÉU VEIO FAUSTO, DESTAQUE NO BRASIL NA COPA DE 1930. LOGO DEPOIS, FOI A VEZ DE FRITZ ENGEL, MEIA-ESQUERDA ALEMÃO QUE HAVIA SE DESTACADO NO FUTEBOL SUÍÇO NO GRASSHOPPERS E NO YOUNG BOYS.

MAS FOI NA METADE DAQUELE ANO QUE O FLAMENGO SACUDIU O FUTEBOL BRASILEIRO COM A CONTRATAÇÃO DE DOMINGOS DA GUIA E LEÔNIDAS DA SILVA.

OS DOIS PRIMEIROS GOLS DE LEÔNIDAS PELO FLAMENGO FORAM NA VITÓRIA POR 2 X 1 SOBRE O AMERICA, EM UMA NOITE DE SÁBADO, EM 29 DE AGOSTO DE 1936, PELO TORNEIO ABERTO, COM UMA MULTIDÃO TOMANDO AS LARANJEIRAS.

E ASSIM, COM ESTE MARCADOR DE 1 X 0, O FLAMENGO É O GRANDE CAMPEÃO DO TORNEIO ABERTO DE 1936...

NACIONAL

UM FLA-FLU DECIDIU O TORNEIO ABERTO, NO DIA 20 DE SETEMBRO. SÁ MARCOU O GOL DO TÍTULO, QUE ECOOU BRASIL AFORA NA VOZ DE ODUVALDO COZZI, NA RÁDIO NACIONAL.

NO AMANHECER DO DIA 11 DE JULHO DE 1937, O VAPOR ALMEDA STAR CHEGAVA AO RIO DE JANEIRO, VINDO DE BUENOS AIRES. A BORDO, O ATACANTE AGUSTÍN VALIDO, DE 23 ANOS, COM PASSAGENS PELO BOCA JUNIORS E LANÚS.
EM MENOS DE 12 HORAS, MESMO ESGOTADO PELOS DIAS DE VIAGEM, VALIDO ESTARIA EM CAMPO PELO COMBINADO BECAR--VARELLA, FORMADO POR JOGADORES DISSIDENTES DA AFA – *ASOCIACIÓN DEL FÚTBOL ARGENTINO*. SUA ATUAÇÃO DIANTE DO FLUMINENSE CHAMOU A ATENÇÃO DA IMPRENSA CARIOCA.

CINCO DIAS DEPOIS, O BECAR-VARELLA FOI DERROTADO PELO FLAMENGO POR 4 X 2 – UM GOL DE WALDEMAR DE BRITTO, RECÉM--CONTRATADO DO SAN LORENZO, E TRÊS DE LEÔNIDAS. APÓS O JOGO, VALIDO RECEBEU O CONVITE PARA JOGAR PELO FLAMENGO.

OUTRA NOVIDADE ERA O TREINADOR HÚNGARO IZIDOR "DORI" KÜRSCHNER. COM FLAVIO COSTA DE AUXILIAR, O NOVO TREINADOR IMPLEMENTOU NO FLAMENGO O ESQUEMA *WM*, HÁ MUITO USADO NOS CAMPOS EUROPEUS.

KÜRSCHNER, PENSANDO EM PREVENIR LESÕES, AUMENTOU A PARTICIPAÇÃO NO FUTEBOL DO MASSAGISTA OVÍDIO DIONÍSIO, O JOHNSON, QUE JÁ SERVIA OUTRAS MODALIDADES DO CLUBE DESDE 1927.

NO DIA 28 DE AGOSTO DE 1937, VALIDO MARCOU O SEU PRIMEIRO GOL PELO FLAMENGO, NO JOGO ÚNICO DA TAÇA DA PAZ CONTRA O BOTAFOGO, ABRINDO O MARCADOR DA VITÓRIA POR 3 X 2 NAS LARANJEIRAS. COMEÇAVA ALI UMA DAS MAIS BELAS HISTÓRIAS DE AMOR ENTRE UM JOGADOR E A CAMISA RUBRO-NEGRA.

JOSÉ BASTOS PADILHA RENUNCIOU NO FINAL DE 1937, E DEIXOU COMO LEGADO O ESTÁDIO DA GÁVEA QUASE CONCLUÍDO E UM TIME CHEIO DE CRAQUES.

NO DIA 9 DE JANEIRO DE 1938, OS 3 X 2 CONTRA O AMERICA ENTRARAM PARA HISTÓRIA PELO UNIFORME E POR UM GOL. PELA PRIMEIRA VEZ, O FLAMENGO JOGOU COM SEU UNIFORME BRANCO, UMA INOVAÇÃO DE DORI KÜRSCHNER, ENQUANTO O GOLEIRO YUSTRICH USAVA UMA CAMISA CINZA.

NO SEGUNDO GOL, A BOLA VEIO CRUZADA ALTA DA DIREITA E THADEU, GOLEIRO DO AMERICA, ATIROU-SE EM SUA DIREÇÃO...

... AO MESMO TEMPO, LEÔNIDAS JOGOU-SE NO AR COM AS COSTAS VOLTADAS PARA O CHÃO E FEZ UM MOVIMENTO COM AS PERNAS, PARECIDO COM UMA PEDALADA. ATINGIU EM CHEIO A BOLA, ANTES QUE THADEU A ALCANÇASSE.

OLHANDO PARA TRÁS, LEÔNIDAS VIU A BOLA ENTRANDO NO ÂNGULO DIREITO: ERA O PRIMEIRO GOL DE BICICLETA DO MAIOR JOGADOR DO FUTEBOL BRASILEIRO NAQUELA DÉCADA PELO FLAMENGO.

ENTRE 7 E 9 DE ABRIL DE 1938, O TREINADOR LUIZ LIMA LEVOU O FLAMENGO AO TÍTULO DE CAMPEÃO CARIOCA DE NATAÇÃO. DESTAQUE PARA AS FORTALEZAS VOADORAS PIEDADE COUTINHO, SCYLA VENÂNCIO, GEYSA CARVALHO E LYGIA CORDOVIL, ABSOLUTAS NOS 4 X 100 M. ALÉM DISSO, NOS 100 METROS LIVRES, O FLAMENGO FEZ PRIMEIRO, SEGUNDO E TERCEIRO, COM PIEDADE, SCYLA E LYGIA.

A POPULARIDADE DO FLAMENGO, QUE NÃO PARAVA DE CRESCER, EXPLODIU APÓS O MUNDIAL DE 1938. TRÊS RUBRO-NEGROS ENCANTARAM A EUROPA: O GOLEIRO WALTER, DOMINGOS E LEÔNIDAS, QUE VOLTOU CONSAGRADO COMO O DIAMANTE NEGRO.

NA VOLTA AO BRASIL, O PRIMEIRO JOGO DO TRIO FOI EM BELO HORIZONTE, CONTRA O PALESTRA ITALIA, NO DIA 18 DE JULHO, COM DIREITO A HOMENAGEM DE GETÚLIO VARGAS NA CONCENTRAÇÃO. DEPOIS, O FLAMENGO GOLEOU O FUTURO CRUZEIRO POR 4 X 1, COM DOIS GOLS DE VALIDO.

EM SETEMBRO DE 1938, FICOU PRONTO O COMPLEXO ESPORTIVO ERGUIDO ÀS MARGENS DA LAGOA RODRIGO DE FREITAS. O FLAMENGO APRESENTAVA AO MUNDO O ESTÁDIO JOSÉ BASTOS PADILHA, OU ESTÁDIO DA GÁVEA, ORGULHO DO ESPORTE NACIONAL.

O PRIMEIRO GOL RUBRO-NEGRO NA GÁVEA FOI UMA JOIA DE LEÔNIDAS. NO DIA 25 DE SETEMBRO DE 1938, O FLAMENGO GOLEOU O BONSUCESSO POR 7 X 1. O DIAMANTE NEGRO ABRIU O MARCADOR LOGO NO COMEÇO DE JOGO, EMENDANDO DE PRIMEIRA UMA BOLA ALÇADA POR JARBAS DA PONTA ESQUERDA.

NAQUELE DOMINGO, PASSOU A FUNCIONAR NA GÁVEA O PLACAR QUE MOSTRAVA O ANDAMENTO DE TODA A RODADA, INICIATIVA DE ARY BARROSO PARA AS TRANSMISSÕES DA RÁDIO CRUZEIRO DO SUL.
FLAMENGO 7 BONSUCESSO 1
BANGU 2 TAFOGO 2
S.CHRISTOVAO 5 SCO 3
FLUMINENSE 3 UREIRA 2

O ANO DE 1939 COMEÇOU COM GUSTAVO DE CARVALHO NA PRESIDÊNCIA. O AUTOR DO PRIMEIRO GOL DA HISTÓRIA DO CLUBE TINHA A MISSÃO DE LEVAR O FLAMENGO AO SEU PRIMEIRO CAMPEONATO CARIOCA NA ERA DO PROFISSIONALISMO. ALÉM DISSO, ERA UM DOS TORCEDORES MAIS ENTUSIASMADOS DA NATAÇÃO: UMA DAS FORTALEZAS VOADORAS, GEYSA FORMENTI DE CARVALHO, ERA SUA FILHA.

E FOI NA ÁGUA A PRIMEIRA CONQUISTA DO PRESIDENTE GUSTAVO. ENTRE 22 E 24 DE MARÇO, NA PISCINA DO GUANABARA, A TURMA DE LUIZ LIMA CONQUISTOU O BICAMPEONATO. PIEDADE COUTINHO VENCEU OS 100 M E OS 400 M LIVRES, E OS DEMAIS LUGARES DO PÓDIO TAMBÉM FORAM RUBRO-NEGROS. NO REVEZAMENTO 4 X 100 M, GEYSA, PIEDADE, LYGIA E SCYLA CHEGARAM À FRENTE COM GRANDE VANTAGEM E ESTABELECERAM RECORDE BRASILEIRO.

NO FUTEBOL, A ESTREIA NO CAMPEONATO FOI NO DIA 2 DE ABRIL. SEM LEÔNIDAS, O FLAMENGO ENFRENTOU O MADUREIRA, FORA DE CASA. JARBAS CRUZOU DA ESQUERDA E VALIDO, QUE VINHA NA CORRIDA, SALTOU PARA CABECEAR COM A FORÇA DE UM CHUTE: GOLAÇO!

O MADUREIRA EMPATOU, MAS AINDA NO PRIMEIRO TEMPO SÁ SOFREU PÊNALTI DE ALCIDES.

GONZÁLEZ, COMPATRIOTA DE VALIDO, COBROU DE MODO INAPELÁVEL.

NA ETAPA FINAL, DESTAQUE PARA CAXAMBU. NO TERCEIRO GOL, ELE CHUTOU NA TRAVE E VALIDO FEZ SEM GOLEIRO. PARA FECHAR OS 5 X 1, DOIS GOLS DE CAXAMBU EM SEU ESTILO ROMPEDOR.

O FLAMENGO ARRASADOR DE 1939 ERA OBRA DE FLAVIO COSTA, NOVAMENTE TREINADOR. COM ELE, JARBAS VOLTARIA AOS SEUS MELHORES DIAS.

O PRESIDENTE DA FIFA, JULES RIMET, FOI O CONVIDADO DE HONRA PARA O JOGO ENTRE FLAMENGO E BOTAFOGO, NO DIA 16 DE ABRIL.

LOGO AOS SETE MINUTOS, LEÔNIDAS FEZ UM GOLAÇO DE FALTA NO GOLEIRO AYMORÉ MOREIRA E ABRIU O CAMINHO PARA A GOLEADA POR 4 X 1. JARBAS, GONZÁLEZ E SÁ FIZERAM OS OUTROS GOLS.

MAS O RENDIMENTO DE LEÔNIDAS CAIU. LEVADO PARA REALIZAR UM EXAME PELO DOUTOR ALBERTO BORGERTH, FOI CONSTATADA UMA INFLAMAÇÃO NO APÊNDICE. E FOI O PRÓPRIO BORGERTH, PAI DO FUTEBOL RUBRO-NEGRO, QUEM REALIZOU A CIRURGIA COM SUCESSO.

NO PRIMEIRO JOGO SEM O DIAMANTE NEGRO, O ATAQUE RESPONDEU BEM: 7 X 1 NO AMERICA, NO DIA 28 DE MAIO, COM TRÊS DE CAXAMBU E DOIS DE VALIDO. SÁ E JARBAS FECHARAM A CONTA.

NO ÚLTIMO DOS SETE JOGOS SEM LEÔNIDAS, O ADVERSÁRIO FOI O BANGU NO ALÇAPÃO DA RUA FERRER, NO DIA 30 DE JULHO. VALIDO FEZ OS DOIS DA VITÓRIA POR 2 X 1. NO GOL DECISIVO, O ARGENTINO SUBIU MAIS QUE O GOLEIRO E MARCOU DE COSTAS PARA O GOL.

A VOLTA DE LEÔNIDAS FOI NA NOITE DE SÁBADO, EM 5 DE AGOSTO, EM UM FLA-FLU DISPUTADO SOB NEBLINA NO ESTÁDIO DE SÃO JANUÁRIO LOTADO.

NO PRIMEIRO TEMPO, VALIDO SOFREU PÊNALTI DE OROZIMBO. LEÔNIDAS CHUTOU RASTEIRO, SEM CHANCE PARA BATATAIS.

NO SEGUNDO TEMPO, JARBAS BATEU UM ESCANTEIO BUSCANDO A ARTILHARIA AÉREA ARGENTINA.

E O FLAMENGO VENCE POR 2 X 1!

COM A MARCAÇÃO CONCENTRADA EM VALIDO, FOI GONZÁLEZ QUEM SUBIU PARA MARCAR. GAGLIANO NETO, QUE HAVIA NARRADO A COPA DO MUNDO PELA RÁDIO CLUBE, ESTREAVA NO MICROFONE DA MAYRINK VEIGA.

SÃO JANUÁRIO, 3 DE SETEMBRO DE 1939. LEÔNIDAS, QUE JÁ HAVIA FEITO O PRIMEIRO, PEGOU UMA BOLA REBATIDA PELA DEFESA DO VASCO PARA MANDAR DE BICICLETA NO ÂNGULO DIREITO DE NASCIMENTO. GONZÁLEZ FECHARIA A VITÓRIA POR 3 X 0.

NO DIA 15 DE OUTUBRO, VIRADA NA RAÇA CONTRA O SÃO CRISTÓVÃO, QUE PERDIA ALI UMA LONGA INVENCIBILIDADE: 2 X 1, COM UM GOL DE COBERTURA DE LEÔNIDAS E UMA ARRANCADA FULMINANTE DE VALIDO.

O FLAMENGO FOI CAMPEÃO ANTECIPADAMENTE, DEPOIS DE O AMERICA VENCER O BOTAFOGO NA PENÚLTIMA RODADA. NO ÚLTIMO DOMINGO DO CAMPEONATO, LEÔNIDAS E SEUS COMPANHEIROS PISARAM O GRAMADO DAS LARANJEIRAS PARA ENFRENTAR O VASCO COM AS FAIXAS DE CAMPEÃO NO PEITO.

EM CAMPO, UMA EXIBIÇÃO MEMORÁVEL. VALIDO E GONZÁLEZ ABRIRAM O CAMINHO PARA A VITÓRIA...

... QUE LEÔNIDAS TRANSFORMOU EM GOLEADA COM DUAS ESTOCADAS NOS MINUTOS FINAIS. QUATRO PARA O CAMPEÃO, ZERO PARA O VASCO.

O ESQUADRÃO SONHADO POR JOSÉ BASTOS PADILHA ERA UMA REALIDADE. NA ZAGA, DOMINGOS ENCONTRARA NO NOVATO NEWTON CANEGAL O PARCEIRO IDEAL. GUSTAVO DE CARVALHO SE TORNAVA O PRIMEIRO PRESIDENTE CAMPEÃO DA ERA DO PROFISSIONALISMO, COM UM ATAQUE ARRASADOR: SÁ, VALIDO, GONZÁLEZ, LEÔNIDAS E JARBAS. IMORTAIS.

PARA CELEBRAR O TÍTULO, DOIS AMISTOSOS CONTRA O INDEPENDIENTE, CAMPEÃO ARGENTINO. NO DIA 24 DE DEZEMBRO, OS VISITANTES ABRIRAM 3 X 0 NA ETAPA INICIAL, MAS O FLAMENGO BUSCOU O EMPATE. O TERCEIRO GOL, A QUATRO MINUTOS DO FIM, FOI O MAIS BONITO DA VIDA DE LEÔNIDAS: DA MEIA-LUA, ELE ACERTOU UMA BICICLETA NO ÂNGULO ESQUERDO DO GOLEIRO BELLO.

O GOLAÇO DE LEÔNIDAS LEVOU A TORCIDA A UM DELÍRIO TÃO GRANDE QUE MUITOS NEM VIRAM QUE O INDEPENDIENTE MARCOU NO ÚLTIMO ATAQUE DO JOGO. ARY BARROSO, JÁ NO MICROFONE DA TUPI, TAMBÉM NÃO VIU E NÃO PERDEU A POSE.
... NADA DO QUE POSSA TER ACONTECIDO APÓS O TENTO FENOMENAL DE LEÔNIDAS DEVE SER LEVADO EM CONSIDERAÇÃO, PORQUE AINDA ESTAMOS TODOS EM ÊXTASE DIANTE DO MAIOR GOL DA HISTÓRIA...
TUPI
PRG3
RIO
A PARTIDA NÃO FOI MARCADA APENAS PELA BICICLETA DO DIAMANTE NEGRO. ZIZINHO, 18 ANOS, VINDO DO FUTEBOL DE NITERÓI, VINHA SE DESTACANDO NOS JOGOS DO TIME RESERVA DO FLAMENGO. NAQUELE DOMINGO, FEZ SUA ESTREIA NO TIME PRINCIPAL E DEU UMA ASSISTÊNCIA A LEÔNIDAS.

UMA SEMANA DEPOIS, OS TIMES VOLTARAM A SE ENCONTRAR. GONZÁLEZ CABECEOU PARA O CHÃO PARA FAZER SEU ÚLTIMO GOL PELO FLAMENGO.

POUCO DEPOIS, LEÔNIDAS GANHOU UMA DISPUTA NO ALTO, DEIXOU A BOLA QUICAR E EMENDOU UM VOLEIO INDEFENSÁVEL. NO FINAL, FLAMENGO 2 X 1 INDEPENDIENTE.

NÃO DEMOROU PARA ZIZINHO SE TORNAR TITULAR. NO DIA 11 DE MAIO DE 1940, ELE MARCOU SEU PRIMEIRO GOL PELO FLAMENGO, ABRINDO OS 2 X 1 CONTRA O SÃO CRISTÓVÃO, EM SÃO JANUÁRIO.

GONZÁLEZ, TRANSFERIDO PARA O BOCA JUNIORS, FOI SUBSTITUÍDO POR OUTRO ARGENTINO. O MEIA-ESQUERDA JULIO CASTILLO LOGO FORMARIA UM TRIO IRRESISTÍVEL, COM LEÔNIDAS NO COMANDO DO ATAQUE E ZIZINHO NA MEIA-DIREITA.

CADA UM DELES MARCOU GOL NOS 3 X 2 SOBRE O BOTAFOGO, NA GÁVEA, NO DIA 1º DE SETEMBRO DE 1940, PELO CAMPEONATO CARIOCA. O DE CASTILLO, OBRA DE RARO ESTILO:

APÓS REBOTE DO GOLEIRO, CASTILLO SE ATIROU NO AR E, COM O CALCANHAR, DEU UM GANCHO NA BOLA PARA DENTRO DA META BOTAFOGUENSE.

TRÊS DIAS DEPOIS, CONTRA A PORTUGUESA, PELO TORNEIO RIO-SÃO PAULO, UMA VITÓRIA ASSOMBROSA DO FLAMENGO NO PACAEMBU: 9 X 1. CASTILLO MARCOU DUAS VEZES, A SEGUNDA DELAS NO FIM DO JOGO, DE CABEÇA. O ÚLTIMO GOL DE SUA VIDA.

NA VOLTA AO RIO, CASTILLO SENTIU-SE MAL. FOI INTERNADO EM ESTADO GRAVE, COM REUMATISMO POLIARTICULAR AGUDO. ELE REVELOU, ENTÃO, QUE SOFRIA DE DIABETES, O QUE ESCONDIA PORQUE SABIA QUE O IMPEDIRIAM DE JOGAR. SEM FUTEBOL, PREFERIA MORRER.

JULIO CASTILLO MORREU NO RIO DE JANEIRO NA SEGUNDA-FEIRA, 16 DE SETEMBRO DE 1940. NO SEPULTAMENTO, ENQUANTO UMA BANDEIRA RUBRO-NEGRA ERA COLOCADA SOBRE O CAIXÃO, ARY BARROSO FALOU COM A VOZ EMBARGADA:

... MANTEREMOS CASTILLO VIVO A CADA VEZ QUE NOSSO TIME JOGAR E, ATÉ MESMO NO FUTURO MAIS DISTANTE, O FLAMENGO SERÁ CASTILLO, E CASTILLO SERÁ O FLAMENGO.

NO DIA 5 DE ABRIL DE 1940, NA PISCINA DO GUANABARA, O FLAMENGO CHEGOU AO TRI CARIOCA DE NATAÇÃO. ALÉM DAS FORTALEZAS VOADORAS, A CONQUISTA VEIO PELAS BRAÇADAS DE IVAN FREYSLEBEN, TULIO SAMARCOS ALMEIDA, WILSON LOUZADA E ALDO BARILARI.

JÁ NAS REGATAS, O CAMPEONATO ACONTECERIA NO DOMINGO, 27 DE OUTUBRO DE 1940, DEBAIXO DE MAU TEMPO, SOB O OLHAR DO TÉCNICO ALEMÃO RUDOLPH KELLER, CONTRATADO POR JOSÉ BASTOS PADILHA QUATRO ANOS ANTES.

EM MEIO A UM TEMPORAL, O FLAMENGO CONQUISTOU O TÍTULO QUE NÃO ERA SEU DESDE 1933. A VITÓRIA DECISIVA FOI A DO *DOUBLE SKIFF* NHANHAM, COM HENRIQUE NUREMBERG E ADRIANO FERNANDES DE SÁ.

O TRIUNFO SOB O COMANDO DE KELLER FOI O PRIMEIRO DE UMA SÉRIE QUE SÓ TERMINARIA COM O TETRACAMPEONATO EM 1943. DIAS DEPOIS, APÓS POSAR PARA A FOTO COM OS REMADORES, KELLER DEMONSTROU CONHECER A HISTÓRIA AO RESPONDER SOBRE COMO O FLAMENGO HAVIA ENFRENTADO O MAR REVOLTO: *"O FLAMENGO NASCEU NO MAR EM TEMPESTADE"*.

C.R.F.

NO DIA 15 DE DEZEMBRO DE 1940, NA GOLEADA POR 7 X 1 NO BONSUCESSO, LEÔNIDAS FEZ SEUS ÚLTIMOS DOIS GOLS PELO CLUBE. NO INÍCIO DE 1941, ELE BRIGOU COM A DIRETORIA E DEPOIS FOI PRESO POR FALSIFICAR O CERTIFICADO DE DISPENSA DO SERVIÇO MILITAR. JAMAIS VOLTOU A JOGAR PELO FLAMENGO.

AEROPORTO
SEM LEÔNIDAS, O FLAMENGO SE REFORÇOU. NO DIA 23 DE ABRIL DE 1941, CHEGOU AO RIO O CENTROAVANTE GAÚCHO SYLVIO PIRILLO, COM PASSAGENS PELO PEÑAROL E PELO INTER DE PORTO ALEGRE.

A GÁVEA LOTOU PARA VER A SUA ESTREIA, NA ABERTURA DO CAMPEONATO, NA TARDE DE 4 DE MAIO. E PIRILLO APRESENTOU O CARTÃO DE VISITAS, MARCANDO TRÊS GOLS NA GOLEADA POR 5 X 2 SOBRE O MADUREIRA. ZIZINHO TAMBÉM DEIXOU O DELE.
O OUTRO GOL FOI MARCADO POR UM JOGADOR ORIUNDO DO FUTEBOL MINEIRO. ERA O INÍCIO DE UMA TRAJETÓRIA QUE, ENTRE PAI E FILHO, FARIA O NOME JAYME DE ALMEIDA ATRAVESSAR SETE DÉCADAS NO FLAMENGO.

AS OUTRAS NOVIDADES DE 1941 FORAM O PONTA-ESQUERDA VEVÉ E O DEFENSOR BIGUÁ. AO FINAL DO CAMPEONATO, PIRILLO HAVIA CRAVADO O RECORDE DE 39 GOLS, MUITOS DESTES SERVIDOS POR VEVÉ. VEVÉ, BIGUÁ, JAYME E PIRILLO TORNARIAM-SE SÍMBOLOS DO FLAMENGO.

CAFÉ RIO BRANCO

CAFÉ RIO BRANCO, FEVEREIRO DE 1942. NO INTERIOR DO ESTABELECIMENTO QUE SE TRANSFORMARA EM UM REDUTO RUBRO-NEGRO, UM TRIO CONVERSA SOBRE O FLAMENGO.

ARY, PRECISAMOS ESTAR UNIDOS. NOSSO GRUPO PRECISA APOIAR O FLAMENGO E NÃO O DIVIDIR. VOCÊ SÓ PAROU DE CRITICAR O PIRILLO QUANDO ELE PASSOU DOS 20 GOLS NO CAMPEONATO, SÓ PORQUE QUERIA O LÊONIDAS DE VOLTA...

É FLAVIO COSTA QUEM FALA. ARY BARROSO E O ROMANCISTA JOSÉ LINS DO REGO O OUVEM ATENTAMENTE.

NÃO PODEMOS DEPENDER APENAS DA DIRETORIA. ESTE GRUPO NÃO PODE APENAS LAMENTAR DERROTAS E COMEMORAR VITÓRIAS. EU PRECISO DE TRANQUILIDADE PARA TRABALHAR. PRECISO TER MEUS PEDIDOS ATENDIDOS. TRAGAM GENTE DE POSSES PARA O GRUPO, RUBRO-NEGROS INFLUENTES.

E DE QUAIS JOGADORES VOCÊ PRECISA PARA FAZER O NOSSO FLAMENGO CAMPEÃO, FLAVIO?

DE UM AVANÇADO PARA JOGAR PRÓXIMO AO PIRILLO E DE UM GOLEIRO QUE TRANSMITA CONFIANÇA. EU QUERO O PERÁCIO E O JURANDYR.

MAS O BOTAFOGO DESISTIU DO PERÁCIO E O CEDEU AO CANTO DO RIO, FLAVIO. E O JURANDYR? DEVE ESTAR COM UNS 30 ANOS!

COMIGO, PERÁCIO VOLTARÁ AOS SEUS BONS TEMPOS. E JURANDYR É RESPEITADÍSSIMO NA ARGENTINA. NÃO HÁ GOLEIRO COMO ELE NO BRASIL ATUALMENTE.

CONFIEM EM MIM E TEREMOS O MELHOR TIME DO RIO.

PERÁCIO FOI O PRIMEIRO A CHEGAR E SE SUBMETEU A TREINOS FÍSICOS USANDO UM BLUSÃO DE LÃ, PARA PERDER PESO, E DEIXOU A VIDA NOTURNA PARA SE RECONCILIAR COM O FUTEBOL.

O QUE TE PARECE, JOHNSON?

VAI DAR CERTO, CHEFIA.

JURANDYR CHEGOU COM O CERTAME EM ANDAMENTO E TOMOU O LUGAR DE YUSTRICH. COM ELE NA META, O FLAMENGO NÃO PERDERIA MAIS NENHUMA PARTIDA NO CAMPEONATO DE 1942.

NO FLA-FLU DE 9 DE AGOSTO, JÁ PELO SEGUNDO TURNO, A VITÓRIA POR 1 X 0 – PERÁCIO, DE CABEÇA – MOSTROU QUE O FLAMENGO ERA O MELHOR TIME DO RIO.

DOMINGOS FEZ UMA PARTIDA PERFEITA, COM DESARMES E PASSES QUE PROVARAM QUE NÃO ERA CHAMADO DE DIVINO MESTRE À TOA.

55

À FRENTE DOS ZAGUEIROS, MAIS UM CAMPEÃO DE 1939 FOI SOBERANO NO FLA-FLU. O ARGENTINO VOLANTE, O MÉDIO QUE MUDOU O NOME DA POSIÇÃO, NÃO FEZ FALTA NEM ERROU PASSE.

E QUANDO O FLUMINENSE CONSEGUIU CHEGAR À ÁREA, LÁ ESTAVA JURANDYR, ABSOLUTO. NÃO RESTAVA DÚVIDA: MAIS UMA VEZ, FLAVIO COSTA HAVIA MONTADO UM GRANDE FLAMENGO.

NO DIA 23 DE AGOSTO, NA SEGUNDA RODADA DO TERCEIRO TURNO, GOLEADA POR 4 X 0 CONTRA O ATÉ ENTÃO LÍDER E INVICTO BOTAFOGO, COM PERÁCIO ABRINDO A FESTA.

HELENO DE FREITAS, ANULADO POR DOMINGOS, ACABOU EXPULSO.

NA RODADA SEGUINTE, VIRADA ESPETACULAR CONTRA O VASCO NOS MINUTOS FINAIS. O GOL DA VITÓRIA POR 2 X 1 FOI MARCADO POR PIRILLO, ESTUFANDO A REDE APÓS REBOTE DO GOLEIRO.

A ARTILHARIA RUBRO-NEGRA SEGUIU FAZENDO VÍTIMAS: 4 X 1 NO MADUREIRA, 8 X 5 NO AMERICA, 7 X 0 NO BONSUCESSO, 3 X 0 NO BANGU, 4 X 0 NO SÃO CRISTÓVÃO. TODOS OS HOMENS DE FRENTE MARCARAM: VALIDO, ZIZINHO, PIRILLO, PERÁCIO, VEVÉ E ATÉ O CENTROAVANTE RESERVA NANDINHO.

AVANTE FLAMENGO

ASSIM, NA ÚLTIMA RODADA, BASTOU O EMPATE POR 1 X 1 COM O FLUMINENSE, NAS LARANJEIRAS, NO DIA 11 DE OUTUBRO, PARA ASSEGURAR O TÍTULO. O GOL RUBRO-NEGRO FOI DE PIRILLO, PARA A FESTA DE JAYME DE CARVALHO E SUA BARULHENTA TORCIDA. A CHARANGA NASCIA CAMPEÃ.

"SEJA NA TERRA, SEJA NO MAR"... NO DIA 25 DE OUTUBRO DE 1942, O TRICAMPEONATO DE REMO FOI TRANSMITIDO PELA RÁDIO CLUBE, COM O RUBRO--NEGRO JOSÉ MARIA SCASSA AOS BERROS NO MICROFONE:

SOMOS OUTRA VEZ CAMPEÕES DE TERRA E MAR!

CAMPEÃO, O FLAMENGO FOI TESTAR O SEU PRESTÍGIO FAZENDO TRÊS AMISTOSOS NO PACAEMBU. DEPOIS DE SUPERAR CORINTHIANS E PALMEIRAS, ESTE O CAMPEÃO PAULISTA, ENFRENTOU O SÃO PAULO DE LEÔNIDAS NA NOITE CHUVOSA DE 28 DE OUTUBRO DE 1942.
FPF

O EMPATE POR 3 X 3 MANTEVE A INVENCIBILIDADE RUBRO-NEGRA, MAS A FESTA NÃO FOI COMPLETA. UM DEFENSOR DO SÃO PAULO ENTROU DE CARRINHO E ACERTOU VIOLENTAMENTE O JOELHO DIREITO DE VALIDO, QUE DEIXOU O ESTÁDIO DE MULETAS.

¡DIOS MÍO!

PRAC!

ESPECIAL
NA VOLTA AO RIO, RECEPÇÃO DIGNA DE HERÓIS NA ESTAÇÃO DOM PEDRO II. DE LÁ, BONDES LOTADOS SEGUIRAM PARA A SEDE DA PRAIA, QUE REVIVEU SEUS DIAS DE *REPÚBLICA PAZ E AMOR*.

... A HISTÓRIA HÁ DE LEMBRAR DESTE FLAMENGO NÃO COMO O VENCEDOR DE UM OU OUTRO CERTAME, MAS COMO O CAMPEÃO DOS CAMPEÕES!
LÁ ESTAVAM OS JOGADORES, OS REMADORES, JAYME, A CHARANGA E O PRESIDENTE GUSTAVO DE CARVALHO EM SEUS ÚLTIMOS DIAS DE MANDATO. EM DISCURSO INFLAMADO, ARY BARROSO SAUDOU O TIME QUE HAVIA VOLTADO INVICTO DE SÃO PAULO.

CRP RIO·PLATENSE
NA MANHÃ SEGUINTE, AINDA MANCANDO, VALIDO FOI À TIPOGRAFIA RIO-PLATENSE, QUE HAVIA MONTADO EM PARCERIA COM VOLANTE, COMO UMA PREPARAÇÃO PARA O DIA EM QUE PARASSE DE JOGAR. E EMBORA ELE AINDA FOSSE ENTRAR EM CAMPO MAIS TRÊS VEZES EM 1943, O JOELHO ATINGIDO NÃO SUPORTARIA A CARGA. VALIDO DEIXAVA OS GRAMADOS PARA SER MAIS UM NA MULTIDÃO DE TORCEDORES.

NO FINAL DE 1942, GUSTAVO DE CARVALHO FOI SUCEDIDO POR DARIO DE MELLO PINTO, ENCERRANDO SUA PASSAGEM PELA PRESIDÊNCIA COMO CAMPEÃO DE TERRA E MAR.

NO FUTEBOL, O CAMPEONATO CARIOCA FOI DISPUTADO EM APENAS DOIS TURNOS, E O FLAMENGO SE APROXIMOU DO BICAMPEONATO AO GOLEAR O VASCO POR 6 X 2, NO DIA 3 DE OUTUBRO DE 1943, EM GENERAL SEVERIANO.

58

UMA SEMANA DEPOIS, NA GÁVEA, O ADVERSÁRIO FOI O BANGU. O FLAMENGO PRECISAVA APENAS DO EMPATE. PERÁCIO FEZ LOGO DOIS GOLS E PIRILLO MARCOU O TERCEIRO, DE PÊNALTI, AINDA ANTES DO INTERVALO.

AO FINAL, 5 X 0 E UMA CENA INUSITADA. ALGUNS TORCEDORES DERAM A PERÁCIO UM CABRITO – RESPOSTA IRÔNICA A UM CRONISTA QUE HAVIA AFIRMADO QUE O ATACANTE PARECIA UM CABRITO SALTANDO A ESMO. PERÁCIO RIU E ERGUEU O CABRITO PARA A FESTA DOS BICAMPEÕES.

NO DOMINGO, 14 DE NOVEMBRO, O FLAMENGO ARRANCOU O TETRACAMPEONATO DE REMO, VENCENDO OS ÚLTIMOS DOIS PÁREOS DO DIA, QUANDO A CONQUISTA JÁ PARECIA DO GUANABARA. MAIS UMA VEZ, CAMPEÃO DE TERRA E MAR.

NA RETA FINAL DO BICAMPEONATO, UMA LENDA SAIU DE CAMPO E DEU LUGAR A OUTRA. O ARGENTINO VOLANTE ENCONTROU NO PARAGUAIO MODESTO BRÍA SEU SUBSTITUTO IDEAL.

BIGUÁ À DIREITA, BRÍA NO MEIO, JAYME – COMO CAPITÃO – À ESQUERDA. ESTAVA FORMADA A LINHA MÉDIA QUE SE TORNARIA SINÔNIMO DE FLAMENGO.

PORÉM, NA DEFESA, UM BAQUE. NO COMEÇO DE 1944, DOMINGOS DA GUIA DEIXOU O FLAMENGO, DESFAZENDO A FAMOSA DUPLA COM NEWTON CANEGAL, POUCO ANTES DE UMA NOITE HISTÓRICA.

10 DE JANEIRO DE 1944, TEATRO JOÃO CAETANO. NO ESPETÁCULO *ATÉ BREVE, RIO*, LAMARTINE BABO LEVOU AO PÚBLICO PELA PRIMEIRA VEZ A SUA COMPOSIÇÃO MAIS POPULAR.
... É O MEU MAIOR PRAZER VÊ-LO BRILHAR, SEJA NA TERRA, SEJA NO MAR...

EM CAMPO, O SONHO DO TRICAMPEONATO CARIOCA IA SE DESFAZENDO, EM PARTE PELA AUSÊNCIA DE PERÁCIO, A SERVIÇO DA FORÇA EXPEDICIONÁRIA BRASILEIRA NA ITÁLIA, NA SEGUNDA GUERRA MUNDIAL.

A SETE JOGOS DO FIM DO SEGUNDO TURNO, O FLAMENGO PARECIA UMA CARTA FORA DO BARALHO. ENTÃO, FLAVIO COSTA REUNIU OS JOGADORES E PROPÔS UM PACTO: 45 DIAS VIVENDO SEM NENHUM OUTRO PENSAMENTO QUE NÃO FOSSE SETE VITÓRIAS EM SETE JOGOS.

FLAVIO DIVIDIU OS JOGOS RESTANTES EM DOIS GRUPOS. OS CINCO PRIMEIROS, CONTRA ADVERSÁRIOS MAIS FRACOS, DEVERIAM SERVIR PARA COLOCAR O TIME NO PÁREO ATÉ OS ÚLTIMOS DOIS JOGOS, CONTRA FLUMINENSE E VASCO, ENTÃO LÍDER E VICE-LÍDER DO CAMPEONATO.
1- S. CRISTÓVÃO
2- CANTO DO RIO
3- BONSUCESSO
4- MADUREIRA
5- BANGU
6-FLUMI
7-VASC
M
O PLANO COMEÇOU A DAR CERTO NA PRIMEIRA DAS SETE RODADAS FALTANTES: NO DIA 16 DE SETEMBRO O AMERICA QUEBROU A INVENCIBILIDADE DO FLUMINENSE, E NO DIA SEGUINTE O FLAMENGO BATEU O SÃO CRISTÓVÃO POR 3 X 0.
BOA, ZIZINHO!
NA REAPRESENTAÇÃO, A GÁVEA PARECIA UMA ENFERMARIA. VEVÉ E PIRILLO, QUE NÃO HAVIAM JOGADO, CONTINUAVAM SEUS TRATAMENTOS. ZIZINHO E BRÍA SOFRIAM COM UM GRANDE DESGASTE MUSCULAR.
C.R.FLAMENGO
DEPARTAMENTO MEDICO
O FLAMENGO VENCERIA OS QUATRO JOGOS SEGUINTES, SEMPRE NO LIMITE DO DESGASTE. SE O ATAQUE SOFRIA COM DESFALQUES, CANEGAL SE AFIRMAVA COMO MELHOR DEFENSOR DO CAMPEONATO.
JOHNSON TRABALHAVA EM TEMPO INTEGRAL. SEM PERÁCIO E COM ZIZINHO, PIRILLO E VEVÉ JOGANDO NO SACRIFÍCIO, A CORDA PODERIA ESTOURAR DE UMA HORA PARA OUTRA.
JACYR?
ZIZINHO✓
NILO?
TIÃO?
ALÉM DISSO, DESDE A APOSENTADORIA DE VALIDO, A PONTA DIREITA NÃO HAVIA SIDO OCUPADA COMO NOS TEMPOS DO ARGENTINO. E A SOLUÇÃO PARA FLAVIO COSTA VIRIA QUASE POR ACASO...

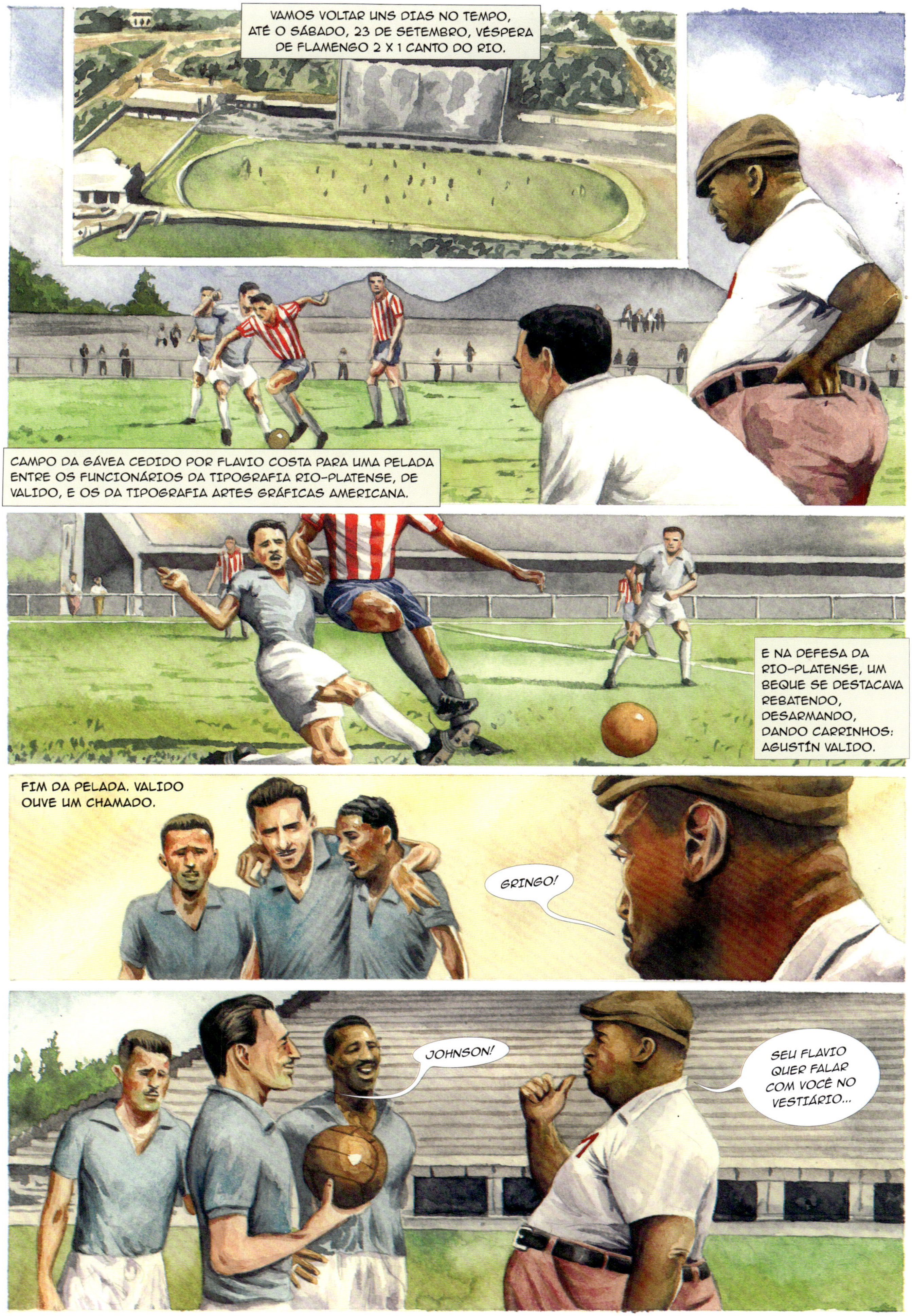

VAMOS VOLTAR UNS DIAS NO TEMPO, ATÉ O SÁBADO, 23 DE SETEMBRO, VÉSPERA DE FLAMENGO 2 X 1 CANTO DO RIO.

CAMPO DA GÁVEA CEDIDO POR FLAVIO COSTA PARA UMA PELADA ENTRE OS FUNCIONÁRIOS DA TIPOGRAFIA RIO-PLATENSE, DE VALIDO, E OS DA TIPOGRAFIA ARTES GRÁFICAS AMERICANA.

E NA DEFESA DA RIO-PLATENSE, UM BEQUE SE DESTACAVA REBATENDO, DESARMANDO, DANDO CARRINHOS: AGUSTÍN VALIDO.

FIM DA PELADA. VALIDO OUVE UM CHAMADO.
GRINGO!

JOHNSON!
SEU FLAVIO QUER FALAR COM VOCÊ NO VESTIÁRIO...

SEU FLAVIO, O QUE MANDA?
GRINGO, VOU SER BEM DIRETO. VAI PARECER LOUCURA, MAS NOSSOS ATACANTES ESTÃO ESTOURADOS. VOCÊ ESTÁ EM FORMA E VAI DE PONTA-DIREITA CONTRA FLUMINENSE E VASCO...

É LOUCURA MESMO, SEU FLAVIO. FOI SÓ UMA BRINCADEIRA COM OS "CHICOS" DA TIPOGRAFIA.
EU NEM IA JOGAR, "PERO" FALTOU UM E O JOHNSON ME ARRUMOU UMAS CHUTEIRAS. MEU JOELHO NÃO AGUENTA MAIS.

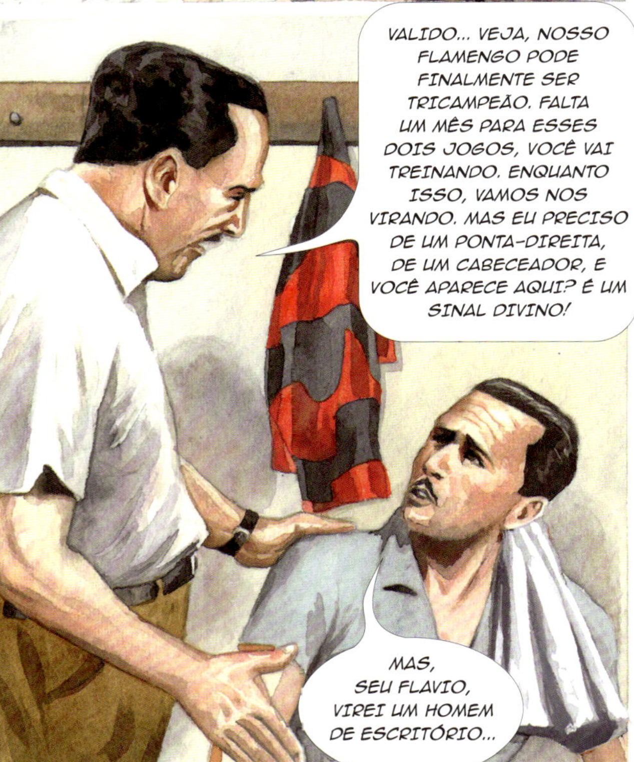
VALIDO... VEJA, NOSSO FLAMENGO PODE FINALMENTE SER TRICAMPEÃO. FALTA UM MÊS PARA ESSES DOIS JOGOS, VOCÊ VAI TREINANDO. ENQUANTO ISSO, VAMOS NOS VIRANDO. MAS EU PRECISO DE UM PONTA-DIREITA, DE UM CABECEADOR, E VOCÊ APARECE AQUI? É UM SINAL DIVINO!
MAS, SEU FLAVIO, VIREI UM HOMEM DE ESCRITÓRIO...

VOCÊ É OU NÃO É FLAMENGO, VALIDO? VOU TE INSCREVER E VOCÊ VAI JOGAR!

VOU TREINAR PARA MATAR A SAUDADE DA CANCHA, MAS EU SEI QUE NÃO TENHO CONDIÇÕES DE JOGAR...

62

GÁVEA, DOMINGO, 22 DE OUTUBRO DE 1944. FLA-FLU.

DEPOIS DE MUITA PRESSÃO, TIÃO ASSINALA O GOL DO FLAMENGO E O FLA-FLU ESTÁ EMPATADO!

DEPOIS DE SAIR ATRÁS, O FLAMENGO ARRASA O FLUMINENSE POR 6 X 1 NO RETORNO DE VALIDO AOS GRAMADOS. ARY BARROSO, COM SUA GAITINHA, VAI AO DELÍRIO NA RÁDIO TUPI.

UMA SENHORA GOLEADA, CAROS OUVINTES! UM FLAMENGO IRRESISTÍVEL! SEIS PARA OS RUBRO-NEGROS, UM PARA OS TRICOLORES! O TRICAMPEONATO QUE PARECIA IMPOSSÍVEL ESTÁ A UMA VITÓRIA DE DISTÂNCIA!

FIRI-FIRIU
FIRIFI-FIRIRIU

OS JOGADORES COMEMORAM A GOLEADA E ZIZINHO PERCEBE QUE VALIDO ESTÁ EXTENUADO.

O QUE FOI, GRINGO? NÃO ESTÁ SE SENTINDO BEM?
COMO NÃO ESTAR "BIEN"... ARF... DEPOIS DE... UMA VITÓRIA COMO ESSA?

APESAR DE EU NÃO TER AJUDADO MUITO, ZIZA...
AJUDOU MUITO, VALIDO! O MEU GOL VEIO DE UM CRUZAMENTO SEU!

FOI MUITO BEM PARA QUEM ESTAVA PARADO, GRINGO. MAS AINDA NÃO GANHAMOS NADA...

QUARTA-FEIRA, 25 DE OUTUBRO DE 1944. OS TITULARES DO FLAMENGO VENCEM O TREINO COLETIVO POR 4 X 2. VALIDO, EMBORA SE MOVIMENTANDO POUCO, DÁ PASSE PARA GOL.

AO MESMO TEMPO, EM SÃO JANUÁRIO...

NO COLETIVO DO VASCO, OS TITULARES VENCEM OS RESERVAS POR 6 X 2. DETALHE: OS RESERVAS VESTIAM O UNIFORME DO FLAMENGO, EM CLARA PROVOCAÇÃO. O TÉCNICO ONDINO VIEIRA ALEGA QUE A MEDIDA FOI PARA "ANTECIPAR O AMBIENTE DE DOMINGO".

... E COM VOCÊS, BOB NELSON!

SÁBADO, 28 DE OUTUBRO DE 1944. APÓS UM LEVE TREINO RECREATIVO, ARY BARROSO APRESENTA UM SHOW COM DIVERSOS ARTISTAS PARA DESCONTRAIR OS JOGADORES RUBRO-NEGROS.

MAS PIRILLO PERCEBE QUE VALIDO ESTÁ ABATIDO.

ALGUM PROBLEMA, GRINGO? PARECE DOENTE...

ESTOU ME SENTINDO ESTRANHO, MAS DEVE SER A EXPECTATIVA PELO JOGO. QUEM DIRIA QUE A VIDA AINDA ME RESERVAVA ISSO...

VALIDO?
VALIDO?
VOCÊ ESTAVA DELIRANDO E FUI CHAMADO, VALIDO. VOCÊ ESTÁ ARDENDO EM FEBRE.

NA MANHÃ DA DECISÃO, VALIDO É ACORDADO PELO MÉDICO PAES BARRETO. QUARENTA GRAUS DE FEBRE E DORES POR TODO O CORPO. FLAVIO COSTA TAMBÉM VAI ATÉ SEU QUARTO.

VALIDO, COMO ESTÁS?

NÃO ESTOU BEM, SEU FLAVIO. ATÉ PARA ME LEVANTAR VAI SER DIFÍCIL.

VALIDO... BRÍA, ZIZINHO E PIRILLO TAMBÉM AMANHECERAM COM DORES. SE VOCÊ TIVER A MÍNIMA CONDIÇÃO, POR FAVOR, JOGUE. NÃO PODEMOS NEM EMPATAR, PORQUE AÍ TERÁ UM JOGO EXTRA E O TIME ESTÁ EM PEDAÇOS. É HOJE OU NUNCA, VALIDO...

EU GOSTARIA, SEU FLAVIO, MAS OS ANOS DE INATIVIDADE ESTÃO COBRANDO SEU PREÇO.

ENQUANTO ISSO, MILHARES DE TORCEDORES COMEÇAM A SE DESLOCAR PARA A GÁVEA. A CIDADE RESPIRA A GRANDE DECISÃO.

LEBLON

MODESTO BRÍA, SUANDO EM BICAS, ENTRA NO QUARTO. ELE HAVIA OUVIDO QUE VALIDO NÃO ESTAVA BEM.

BRÍA! VAIS JOGAR ASSIM MESMO?

¡YO JUEGO AUNQUE SEA MUERTO, AGUSTÍN!

¡YO TAMBIÉN!

ESTA É A MAYRINK VEIGA. AQUI, ODUVALDO COZZI. O FLAMENGO SERÁ TRICAMPEÃO OU O VASCO ENCERRARÁ SEU LONGO JEJUM DE TÍTULOS?

O DESFECHO DESTE ENCONTRO VOCÊ ACOMPANHARÁ COMIGO, GAGLIANO NETO, NA SUA PRA-3, A EMISSORA DO ESPORTE!

SOB OS GRITOS DE SUA TORCIDA, O FLAMENGO ENTRA EM CAMPO.
AVANTE, FLAMENGO!
CAROS OUVINTES DA GUANABARA, EU, JORGE CURI, INFORMO QUE O FLAMENGO PISA O GRAMADO DA GÁVEA E A ARQUIBANCADA ESTREMECE!
E VALIDO VEM AO CAMPO! SOUBEMOS QUE POR MUITO POUCO ELE NÃO DEIXA DE JOGAR, E SEU SEMBLANTE REALMENTE É DE PREOCUPAR! QUE RISCO ASSUME FLAVIO COSTA...

COMIGO, ANTÔNIO CORDEIRO, NA SUA RÁDIO NACIONAL, VOCÊ VAI OUVIR O TRILAR DO APITO DE SUA SENHORIA, GUILHERME CORDEIRO, E FLAMENGO E VASCO PARTIRÃO EM BUSCA DA GLÓRIA NESTE ANO DE 1944!

AVANÇA VALIDO, MAS É DESARMADO! O PONTEIRO ARGENTINO PARECE DESGASTADO E NÃO CUMPRE BOA ATUAÇÃO NESTA TARDE, E ACABA A PRIMEIRA ETAPA...
MAYRINK

VOLTA O FLAMENGO À CARGA, ZIZINHO CRUZA NA DIREÇÃO DE VALIDO...

A BOLA PASSA NOVAMENTE POR ELE! O QUE HÁ COM O ARGENTINO, CANARINHO?
ELE PARECE ESGOTADO, COZZI! SEGUE ZERO A ZERO NA GÁVEA, RESTANDO DEZ MINUTOS, INFORMA A SUA MAYRINK VEIGA!

FOUL PARA O FLAMENGO, QUASE UM CORNER PELA ESQUERDA. SÃO 43 MINUTOS DE LUTA NA ETAPA FINAL...

ENQUANTO VEVÉ SE PREPARA PARA COBRAR A FALTA, FLAVIO COSTA GRITA PARA VALIDO.

VAMOS, VALIDO, PARA A ÁREA!

SUANDO FRIO, VALIDO SE DIRIGE PARA A ÁREA.

¡UN ÚLTIMO ESFUERZO!

VEVÉ ALÇA A BOLA SOBRE A ÁREA FATAL...

SALTA E AFASTA A DEFESA CRUZ-MALTINA!

A PELOTA RETORNA A VEVÉ, QUE PREPARA O CENTRO...

MINHA!
EXPECTATIVA NA ÁREA...

68

A PELOTA VAI DESCENDO...

VAI!!!

TUF!

GOOOOOOOOL!

DO FLAMENGO!
GOL DO FLAMENGO!
GOL DO FLAMENGO!

OS NARRADORES DAS RÁDIOS FAZEM A LOUCURA INSTALADA NA GÁVEA SE ESPALHAR BRASIL AFORA...

DELÍRIO NA GÁVEA! VALIDO DE CABEÇA! CONSEGUE O TENTO QUE ATÉ AGORA É ÚNICO!

QUE DESFECHO ESPETACULAR DO CAMPEONATO DE 1944! VALIDO, À VELHA MANEIRA RUBRO-NEGRA! O FLAMENGO É TRICAMPEÃO E O CAMPO É INVADIDO!

OS POLICIAIS QUE FAZIAM A SEGURANÇA, OS TORCEDORES, OS JOGADORES, TODOS ENVOLVERAM O HERÓI DO JOGO EM UM ABRAÇO COLETIVO.

E ASSIM AGUSTÍN VALIDO ENTROU PARA A ETERNIDADE: COMO HERÓI E COMO SÍMBOLO DA RAÇA FLAMENGUISTA.

TRI-CAMPEÃO

TRI-CAMPEÃO

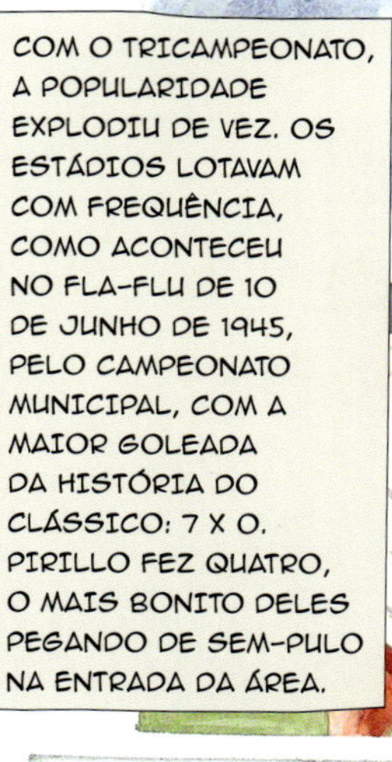

COM O TRICAMPEONATO, A POPULARIDADE EXPLODIU DE VEZ. OS ESTÁDIOS LOTAVAM COM FREQUÊNCIA, COMO ACONTECEU NO FLA-FLU DE 10 DE JUNHO DE 1945, PELO CAMPEONATO MUNICIPAL, COM A MAIOR GOLEADA DA HISTÓRIA DO CLÁSSICO: 7 X 0. PIRILLO FEZ QUATRO, O MAIS BONITO DELES PEGANDO DE SEM-PULO NA ENTRADA DA ÁREA.

O FLAMENGO VENCEU POR 2 X 1, COM GOLAÇOS DE BIGUÁ, COBRANDO FALTA DE LONGA DISTÂNCIA, E DE JARBAS, UMA BOMBA QUASE DA LINHA DE FUNDO. AMBOS FIZERAM QUESTÃO DE COMEMORAR COM PERÁCIO, O CRAQUE PRACINHA, QUE QUASE DEIXOU O DELE EM UMA CABEÇADA NO TRAVESSÃO.

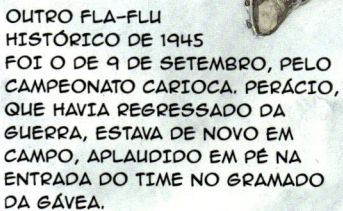

OUTRO FLA-FLU HISTÓRICO DE 1945 FOI O DE 9 DE SETEMBRO, PELO CAMPEONATO CARIOCA. PERÁCIO, QUE HAVIA REGRESSADO DA GUERRA, ESTAVA DE NOVO EM CAMPO, APLAUDIDO EM PÉ NA ENTRADA DO TIME NO GRAMADO DA GÁVEA.

A VIOLÊNCIA EM CAMPO, CRESCENTE DESDE O FINAL DA DÉCADA ANTERIOR, COMBINADA COM UMA ARBITRAGEM DESPREPARADA, VITIMOU ZIZINHO EM 1946. NA ESTREIA NO CAMPEONATO CARIOCA, VITÓRIA POR 4 X 0 SOBRE O BANGU NO DIA 6 DE JULHO, O CRAQUE RUBRO-NEGRO SOFREU FRATURAS NA TÍBIA E NO PERÔNIO APÓS ENTRADA DE ADAUTO. PARA ESPANTO GERAL, ZIZINHO FOI EXPULSO COM O JOGADOR DO BANGU.

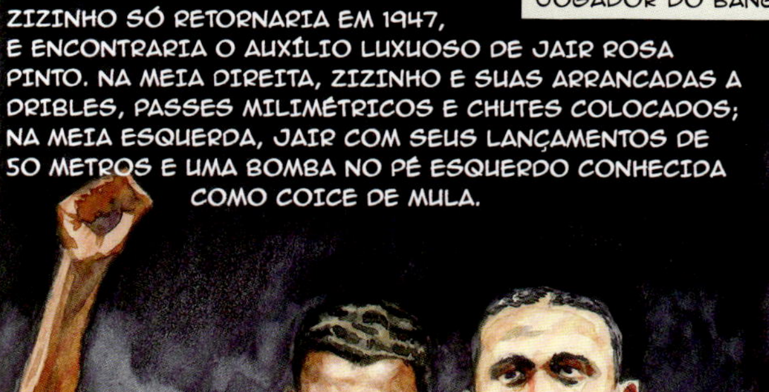

ZIZINHO SÓ RETORNARIA EM 1947, E ENCONTRARIA O AUXÍLIO LUXUOSO DE JAIR ROSA PINTO. NA MEIA DIREITA, ZIZINHO E SUAS ARRANCADAS A DRIBLES, PASSES MILIMÉTRICOS E CHUTES COLOCADOS; NA MEIA ESQUERDA, JAIR COM SEUS LANÇAMENTOS DE 50 METROS E UMA BOMBA NO PÉ ESQUERDO CONHECIDA COMO COICE DE MULA.

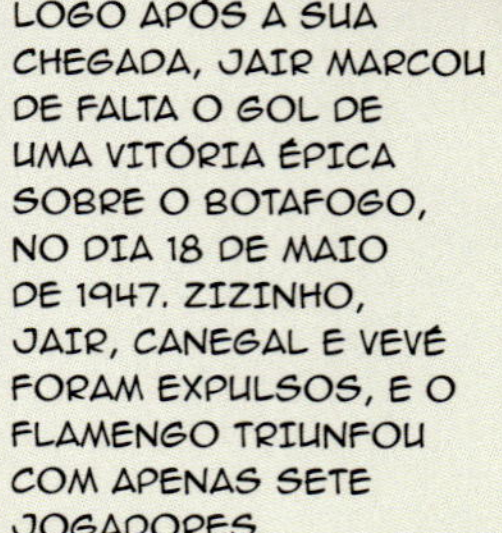

LOGO APÓS A SUA CHEGADA, JAIR MARCOU DE FALTA O GOL DE UMA VITÓRIA ÉPICA SOBRE O BOTAFOGO, NO DIA 18 DE MAIO DE 1947. ZIZINHO, JAIR, CANEGAL E VEVÉ FORAM EXPULSOS, E O FLAMENGO TRIUNFOU COM APENAS SETE JOGADORES.

PORÉM, A VIDA NÃO SERIA FÁCIL PARA O FLAMENGO EM 1947. INSATISFEITO COM A FALTA DE INVESTIMENTOS, FLAVIO COSTA DEIXOU A GÁVEA.

OS NOTÁVEIS RUBRO-NEGROS QUE, ÀQUELA ALTURA, JÁ HAVIAM TROCADO O CAFÉ RIO BRANCO POR ALMOÇOS DIÁRIOS NA CONFEITARIA COLOMBO, NÃO SE CONFORMARAM. JOSÉ LINS DO REGO, ARY BARROSO, O DIRETOR DE BASQUETE ANTÔNIO MOREIRA LEITE E O EX-PRESIDENTE DARIO MELLO PINTO, ENTRE OUTROS, PASSARAM A ATUAR MAIS DIRETAMENTE NA POLÍTICA INTERNA. ERA A HORA DE ASSUMIR A ALCUNHA PELA QUAL O GRUPO JÁ ERA CHAMADO: DRAGÃO NEGRO.

EM 1948, O FLAMENGO DEU UM PASSO DECISIVO PARA VOLTAR A VENCER NO BASQUETE. CONTRATOU O TREINADOR TOGO RENAN SOARES, O KANELA, QUE PROMOVEU PARA O TIME PRINCIPAL O CRAQUE ALGODÃO.

72

O TÍTULO DE CAMPEÃO FOI CONQUISTADO COM DUAS RODADAS DE ANTECEDÊNCIA, NA NOITE DE 23 DE DEZEMBRO DE 1948. NO GINÁSIO DA GÁVEA LOTADO, FLAMENGO 42 X 36 FLUMINENSE.
3

AQUELE FOI O PRIMEIRO TÍTULO DE CAMPEÃO CARIOCA DE ZENNY DE AZEVEDO, O ALGODÃO. MÁRIO HERMES, QUE COM 1,90 M ERA O MAIS ALTO DO TIME, FOI O CESTINHA DO CAMPEONATO COM 223 PONTOS.

JAMIL HADDAD (FUTURO PREFEITO DO RIO), TIÃO, MÁRIO HERMES, HÉLIO HENRIQUE E ZÉ MÁRIO. PAULINHO, GODINHO, MARCELO, MORENA E ALGODÃO, EIS OS CAMPEÕES DO BASQUETEBOL NO RIO DE JANEIRO EM 1948.

SE NO BASQUETE A NUMERAÇÃO NAS CAMISAS NÃO ERA NOVIDADE, NO FUTEBOL BRASILEIRO A PRÁTICA SÓ FOI ADOTADA EM 1948. NO DIA 11 DE JULHO DAQUELE ANO, O FLAMENGO...

... USOU CAMISAS NUMERADAS PELA PRIMEIRA VEZ, NOS 5 X 0 CONTRA O OLARIA, NA GÁVEA. ZIZINHO USOU A 8 E JAIR SE TORNOU O PRIMEIRO 10 DA HISTÓRIA DO CLUBE.

A PRIMEIRA CAMISA RUBRO-NEGRA NUMERADA A BALANÇAR A REDE FOI A 9 DO CENTROAVANTE DURVAL, CONTRATADO PARA SUBSTITUIR PIRILLO, QUE HAVIA MARCADO INCRÍVEIS 204 GOLS PELO CLUBE. DURVAL CHEGARIA A 124 GOLS PELO FLAMENGO, COM MÉDIA SUPERIOR À DE PIRILLO.

AS QUADRAS E OS GRAMADOS TERIAM ALGO A MAIS EM COMUM ALÉM DOS NÚMEROS NAS CAMISAS. NO FINAL DE 1948, KANELA PASSOU A TREINAR AS DUAS MODALIDADES.

A ESTREIA DE KANELA NO FUTEBOL FOI UMA FESTA NA GÁVEA, NO DIA 21 DE NOVEMBRO DE 1948, COM O FLAMENGO VENCENDO O FLUMINENSE POR 2 X 1. O GOL DA VITÓRIA FOI DE JAIR, EM COBRANÇA DE FALTA NO ÂNGULO ESQUERDO.

O FINAL DA DÉCADA DE 1940 MOSTROU O FLAMENGO EM ASCENSÃO TAMBÉM EM OUTRA MODALIDADE: O VÔLEI. EM 1949, O TIME MASCULINO FOI CAMPEÃO CARIOCA, E O FEMININO COMEÇAVA A SE DESTACAR.

EM 1949, KANELA APRESENTOU TRÊS REFORÇOS PARA O FUTEBOL. O ZAGUEIRO JUVENAL, O MÉDIO WALTER MIRAGLIA E O PONTA ESQUERDINHA.

JÁ PARA O BASQUETE, OS REFORÇOS FORAM O ALA ALFREDO DA MOTTA E O PIVÔ AFFONSO ÉVORA, O FON-FON.

SE O FLAMENGO JÁ ERA O MELHOR TIME DE BASQUETE NO RIO, COM ALFREDO E ÉVORA PASSOU A SER ARRASADOR. O BICAMPEONATO FOI CONQUISTADO DE MODO INVICTO, E ALFREDO FOI O CESTINHA DO TORNEIO.

MAS A VITÓRIA MAIS COMEMORADA NO BASQUETE EM 1949 NÃO FOI EM JOGO DE CAMPEONATO. O TIME NORTE-AMERICANO DA UNIVERSITY OF UTAH FEZ UMA EXCURSÃO AO BRASIL, E VENCEU SEUS NOVE PRIMEIROS JOGOS ATÉ ENFRENTAR O FLAMENGO, NO DIA 16 DE NOVEMBRO, COMO PARTE DOS FESTEJOS DOS 54 ANOS DO CLUBE.

NO GINÁSIO DA GÁVEA LOTADO, EM UMA VIRADA SENSACIONAL, O FLAMENGO TIROU A INVENCIBILIDADE DOS AMERICANOS AO VENCER POR 55 X 48, PARA DELÍRIO DO PÚBLICO.

ALFREDO, O CESTINHA COM 16 PONTOS, FOI CARREGADO NOS OMBROS PELOS TORCEDORES. A CAPA DO *JORNAL DOS SPORTS* DIMENSIONOU O FEITO RUBRO-NEGRO: *"O MAIOR ESPETÁCULO DE BASKETBALL A QUE A CIDADE JÁ ASSISTIU".*

O MOMENTO MAIS MARCANTE DE KANELA COMO TREINADOR DE FUTEBOL ACONTECEU NO DIA 29 DE MAIO DE 1949, QUANDO O FLAMENGO DE JAIR ENFRENTOU, EM SÃO JANUÁRIO, O ARSENAL, DE WALLEY BARNES.

PARA ENCARAR OS INGLESES, NOVIDADE NO GOL RUBRO-NEGRO. O PARAGUAIO SINFORIANO GARCÍA ESTARIA EM CAMPO, MENOS DE 48 HORAS DEPOIS DE TER CHEGADO DE ASSUNÇÃO.

OS BRITÂNICOS MARCARAM LOGO NO PRIMEIRO LANCE. MAS NÃO DEMOROU PARA JAIR EMPATAR O JOGO COM UM GOLAÇO DE FALTA, UMA BOMBA DE CANHOTA...
10
10
... QUE ENGANOU GEORGE SWINDIN, ENTRANDO RASANTE EM SEU CONTRAPÉ.

COM OUTRA PINTURA DE JAIR, UM BALAÇO DE PÉ DIREITO NO ÂNGULO ESQUERDO DE SWINDIN. O FLAMENGO VIROU O JOGO NO COMEÇO DE SEGUNDO TEMPO.

DURVAL, EM INVESTIDA PELO MEIO, PASSOU POR BARNES E FUZILOU SWINDIN. EM MAIO DE 1949, O FLAMENGO BOTAVA OS INGLESES NA RODA: 3 X 1 NO ARSENAL, FICOU MARCADO NA HISTÓRIA...

DOIS DIAS DEPOIS DO JOGO CONTRA O FLAMENGO, A DELEGAÇÃO DO ARSENAL – JOGADORES, O TÉCNICO TOM WHITTAKER E O CORRESPONDENTE DO *DAILY MIRROR*, JOHN THOMPSON – FOI VISITAR AS OBRAS DO FUTURO ESTÁDIO MUNICIPAL QUE SE ERGUIA NA ZONA NORTE.

NO TERRENO DO ANTIGO DERBY CLUB, O PRINCIPAL PALCO DO CAMPEONATO MUNDIAL DE 1950 COMEÇAVA A TOMAR FORMA. O CICERONE DOS INGLESES FOI MARIO FILHO, DIRETOR DO *JORNAL DOS SPORTS* E ENTUSIASTA DA CONSTRUÇÃO DO ESTÁDIO.

TUDO NA NOVA PRAÇA ESPORTIVA SERIA GIGANTE. QUANDO PRONTA, SERIA CAPAZ DE RECEBER 200 MIL PESSOAS, SUPERANDO OS 183 MIL LUGARES DO HAMPDEN PARK, EM GLASGOW. ESTAVA NASCENDO, NA CAPITAL DO PAÍS, O MAIOR ESTÁDIO DA TERRA.

O RUBRO-NEGRO MARIO FILHO, AO VISITAR AS OBRAS, ANTEVIA O COLOSSAL ESTÁDIO LOTADO. ELE SABIA QUE O FUTEBOL E A CIDADE MUDARIAM PARA SEMPRE. O QUE ELE NÃO SABIA É QUE O SEU NOME E O SEU CLUBE DO CORAÇÃO SERIAM ETERNAMENTE AS MELHORES E MAIS BEM-ACABADAS APRESENTAÇÕES DAQUELE TEMPLO, QUE UM DIA PASSARIA A SER CHAMADO DE MARACANÃ.

CONTINUA...

REFERÊNCIAS BIBLIOGRÁFICAS

JORNAIS E REVISTAS

A Batalha (RJ)
A.B.C. (RJ)
A Cigarra (RJ)
A Época (RJ)
A Illustração Brazileira (RJ)
A Imprensa (RJ)
A Lanterna (RJ)
Almanaque dos Desportos (RJ)
A Mosca Sportiva (RJ)
A Noite (RJ)
A Noite Ilustrada (RJ)
A Notícia (RJ)
A Razão (RJ)
A Rua (RJ)
Careta (RJ)
Cidade do Rio (RJ)
Correio da Manhã (RJ)
Correio da Noite (RJ)
Correio Paulistano (SP)
Diário Carioca (RJ)
Diário da Noite (RJ)
Diário de Notícias (RJ)
Diário da Tarde (PR)
Dom Quixote (RJ)
El Gráfico (Argentina)
Esporte Ilustrado (RJ)
Estadio (Chile)
Fon Fon (RJ)
Jornal das Moças (RJ)
Gazeta de Notícias (RJ)
Jornal do Brasil (RJ)
Jornal do Commercio (RJ)
Jornal dos Sports (RJ)
Luz e Sombra (RJ)
O Cruzeiro (RJ)
O Cyclismo (RJ)
O Fluminense (RJ)
O Globo (RJ)
O Globo Sportivo (RJ)
O Imparcial (RJ)
O Jockey (RJ)
O Jornal (RJ)
O Malho (RJ)
O Paiz (RJ)
O Que Há (RJ)
O Radical (RJ)
O Século (RJ)
Revista da Semana (RJ)
Revista do Rádio (RJ)
Revista Placar (SP)
Rio Sportivo (RJ)
Semana Sportiva (RJ)
Sport (Inglaterra)
Sports (RJ)
Tico Tico (RJ)
Theatro & Sport (RJ)
The Western Morning News (Inglaterra)
Vida Sportiva (RJ)

LIVROS

ABINADER, Marcelo. Uma viagem a 1912: surge o futebol do Flamengo. Rio de Janeiro: Águia Dourada, 2010.

ALENCAR, Edigar de. Flamengo: força e alegria do povo. Rio de Janeiro: Conquista, 1970.

ASSAF, Roberto. Consagrado no gramado: a história dos 110 anos do futebol do Flamengo. Rio de Janeiro: Digitaliza, 2022.

______. Seja no mar, seja na terra: 125 anos de histórias. Rio de Janeiro: Edição do autor, 2019.

ASSAF, Roberto; MARTINS, Clóvis. Campeonato Carioca: 96 anos de história. Rio de Janeiro: Irradiação Cultural, 2007.

ASSAF, Roberto; GARCIA, Roger. Grandes jogos do Flamengo: da fundação ao hexa. Barueri: Panini, 2010.

CARVALHO, Joaquim Vaz de. Flamengo, uma emoção inesquecível. Rio de Janeiro: Relume-Dumará, 1995.

CASTRO, Ruy. Flamengo: O vermelho e o negro. Rio de Janeiro: Ediouro, 2004.

COUTINHO, Edilberto. Nação Rubro-Negra. Rio de Janeiro: Fundação Nestlé de Cultura, 1990.

______. Zelins, Flamengo até morrer. Rio de Janeiro: Edição do autor, 1994.

CRUZ, Cláudio; AQUINO, Wilson. Acima de tudo rubro-negro: o álbum de Jayme de Carvalho. Rio de Janeiro: Edição dos autores, 2007.

MALACHINE, Ana Carolina Rodrigues. Manto Sagrado! A evolução do design do uniforme de futebol do Flamengo. Rio de Janeiro: Livros de Futebol, 2021.

RODRIGUES FILHO, Mario. Histórias do Flamengo. Rio de Janeiro: Mauad, 2014.

SILVA, Thomaz Soares da. Zizinho: o Mestre Ziza. Rio de Janeiro: Edições do Maracanã, 1985.

VAQUEIRO, Arturo de Oliveira Vaz. Acima de tudo rubro-negro: a história do Clube de Regatas do Flamengo. Rio de Janeiro: World Press, 2004.

SITES

http://flamantosagrado.com/
https://flamengoalternativo.wordpress.com/
https://museuflamengo.com/
https://flaestatistica.com/
https://republicapazeamor.com.br/site/
https://mundorubronegro.com/
https://bndigital.bn.gov.br/
https://arquivonacional.gov.br/
https://www.flamengo.com.br/

PERFIS DO TWITTER (X)

@1981antigo
@_malachine
@BLucenaRN
@butter_david
@denyspresman
@FlaAlternativo
@flahistoria
@museuflamengo
@Musicaflamenga

CORREÇÕES EM RELAÇÃO À PRIMEIRA EDIÇÃO

Esta edição revista e atualizada se deve à colaboração inestimável dos pesquisadores Celso Junior, Denys Presman, Eduardo Vinicius de Souza, Emmanuel do Valle e Paulo Tinoco. Algumas correções foram feitas pelo próprio autor, após o acesso a fontes bibliográficas consultadas após a publicação da primeira edição.

Celso Junior dedica-se ao portal *Fla-Estatística*, com Arturo Vaz, fonte obrigatória para todos que pesquisam o Flamengo. Celso realiza ainda um levantamento sobre os uniformes que o time de futebol usou em todos os jogos da história. Quando do fechamento desta edição, Celso havia identificado os uniformes de 6.008 dos 6.308 jogos já disputados.

Denys Presman é o autor de trabalhos sobre a história do Flamengo, divulgados no perfis oficiais do Clube de Regatas do Flamengo e do Museu Flamengo, além de um livro ainda inédito intitulado *Atlas do Flamengo*. Apontou correções de datas e sugeriu abordagens que estão no terceiro volume.

Eduardo Vinicius de Souza reuniu o maior acervo particular de itens do Flamengo. De seu acervo saíram muitas informações e correções incorporadas em *Me Arrebata*. Foi ele a primeira pessoa a ler o roteiro original e a incentivar a busca por uma editora. Curador do Museu Flamengo, Eduardo faleceu em 27 de junho de 2024. Perda irreparável, saudade eterna.

Emmanuel do Valle é o autor do imprescindível *Flamengo Alternativo*, site dedicado à história do Flamengo. Ele aponta uma correção no primeiro volume de *Me Arrebata* que não foi possível incorporar, visto que demandaria alterar ilustrações. As cores do Madureira Atlético Clube até 1971 eram azul, roxo e branco. Em 1971, a agremiação incorporou dois clubes do bairro homônimo: o Imperial Basquete Clube, no qual predominava o amarelo, e o Madureira Tênis Clube, de cor grená. Desde então, o nome oficial é Madureira Esporte Clube e suas cores são amarelo, grená e azul, cores erroneamente utilizadas nas aparições do Madureira neste volume.

Paulo Tinoco realizou um levantamento abrangente das citações do Flamengo na Música Popular Brasileira, cadastrando mais de 1.550 canções. Ao ampliar sua pesquisa, Tinoco se aprofundou na história do Clube de Regatas do Flamengo e, dentre outras colaborações para *Me Arrebata*, trouxe as numerações corretas das primeiras sedes e levantou a discussão acerca da narração do gol do tricampeonato que está transcrita na obra, de onde se chegou à conclusão de que o narrador em questão é Oduvaldo Cozzi, e não Antônio Cordeiro. O livro de Paulo Tinoco, ainda a ser lançado, é intitulado *FlaMúsica – Memória Musical Rubro-Negra (e a cultura flamenga no cotidiano nacional): Volume I – 1895-1960.*

Editora 

Publisher Marco Piovan

Roteirista Mauricio Neves de Jesus

Ilustrador Renato Dalmaso

Editor de Arte Dalton Flemming

Leitura Crítica Bruno Lucena (in memoriam)
Celso Júnior
Denys Presman
Eduardo Vinicius de Souza (in memoriam)
Emmanuel do Valle
Paulo Tinoco

Comunicação e Marketing João Piovan

Revisor César dos Reis

Editora 

Diretora Geral Sevani Matos

Produtor Gráfico Alexandre Magno

Impressão Gráfica Santa Marta

11CULTURAL WWW.ONZECULTURAL.COM.BR
vreditorabr www.vreditora.com.br

Dados Internacionais de Catalogação na Publicação (CIP)
(Câmara Brasileira do Livro, SP, Brasil)

Jesus, Mauricio Neves de
Me arrebata : epopeias rubro-negras : volume 1 : 1895-1950 / Mauricio Neves de Jesus ; [ilustração] Renato Dalmaso. -- 2. ed. -- São Paulo : Onze Cultural, 2024. -- (Me arrebata ; v. 1)

ISBN 978-65-86818-31-4

1. Flamengo 2. Histórias em quadrinhos
I. Dalmaso, Renato. II. Título. III. Série.

24-219548 CDD-741.5

Índices para catálogo sistemático:

1. Histórias em quadrinhos 741.5

Tábata Alves da Silva - Bibliotecária - CRB-8/9253